2020年代の想像力

文化時評アーカイブス2021-23

宇野常寛
Tsunehiro Uno

ハヤカワ新書 011

目次

序にかえて——「虚構の敗北」について

現実優位の時代

　今日において、創作物を批評するにあたってその背後に存在する情報環境の与える影響を無視することは難しい。情報環境の影響は作品の受容の形態やビジネスモデルの問題を超え、私たちの社会における虚構の位置づけにまで及んでいる。こうした今日の情報環境下における「虚構」の位置づけの変化は、本書に収録した文章を貫く主題の中でもっとも大きなものだ。

　前提として、今日は現実が虚構に対して優位な時代だ。それを象徴するのが、2021年2月に公開された『シン・エヴァンゲリオン劇場版:||』の存在だろう。『エヴァンゲリオン』は1995年からはじまるテレビアニメから始まったシリーズであり社会現象と言える大ヒットを経て、1997年の劇場版で一度完結している。その後、2007年に原作者である庵野秀明が自らの手でリブートを開始し、「新劇場版」シリーズがはじまった。同作はその14年越しの完結篇だった。

この完結篇の物語の内容については、主人公の少年（シンジ）の農業体験を中心とした小中学校の林間学校のような「経験」による鬱からの回復と、主人公の父親の自身が親に愛されなかったために息子と向き合えなかったと言った類の内面吐露による息子との和解、といった通俗的なテンプレートに則ったものであり、特筆すべき点はない（詳しくは昨2022年に出版した『水曜日は働かない』〔ホーム社〕収録の批評文を参照していただきたい）。その ただその結末は、同作が抱え込んでしまったやっかいな問題を体現してしまっている。そのエピローグは、無事成長した主人公がヒロインの1人（マリ）と、庵野の故郷である山口県宇部市の街に降り立つというものだ（このエピローグは実写で描かれる）。長い思春期＝アニメ（虚構）を終えて、大人になり、実写（現実）に触れる――この結末は、同時期に放映されたNHKの庵野秀明の本作の制作過程を追ったドキュメンタリーの効果もあり、私小説的に受け取られた（少なくとも興行サイドは、それを意図してこのドキュメンタリーを放送したことは疑いようがない）。そこでは庵野が妻（マンガ家の安野モヨコ）に支えられて回復する姿が描かれた。最終的にシンジと結ばれるマリは、新劇場版から登場するキャラクターであり、新劇場版は、庵野秀明の結婚後に制作されたものだ。そのためマリ＝安野モヨコの比喩として、同作は広く解釈された。その評価は概ね好意的なものだった。庵野秀明は家族（妻）の支えで回復し、長年の課題についに決着をつけた。その過程が作品に反映されている。こんな感動的なことがあるだろうか、というわけだ。

しかし、私は思う。これは果たして映画に対する評価なのだろうか。本当にこの「現実」のエピソードがなくても、人々は同作を称賛できたのだろうか？

あの農村の自治体が余った予算を使い切るために都会のお坊ちゃん向けにとりあえずやっているような農業体験を通じた「生きる喜び」の再獲得の安直さ（どこかで見たテンプレートを貼り付けているだけで、なんの創意もない）、いわゆる「ラスボス」である主人公の父の（これまた同じようにテンプレート的な）まるで俗流心理学本の凡例のようなトラウマの告白の薄っぺらさ……。こうした記号を貼り付けられただけで、人間は感動できるのだろうか？ 「業界」を代表する「大作」を応援することでの社会的な成功を目論むか、同じくらい安直な感性を持っていなければそれは不可能だ。

この「安直さ」が全面に出たのが、ラストシーンだろう。シンジは亡き母の分身（レイ）でも、思春期の憧れ（アスカ）でもなく、大人として一緒に生きるパートナー（マリ）を選ぶ。しかし、それは「終わり」ではなく「はじまり」でしかないのではないか。

庵野秀明は「ここから」どんな関係を作っていくのかが、本当の物語だということが分かっていない。あの2人は坂元裕二作品で言えば『花束みたいな恋をした』の段階にいる。この後『最高の離婚』を経て『大豆田とわ子と三人の元夫』がある。真のヒロインを見つければ、それでトゥルーエンドに到り着けるような安易な世界に僕たちは生きていないのだ（これが分かっていないから人間観が薄くなる）。「ハーレム状態から真のパートナーを見つける」ことが「救済」になってしまうと考える安直さが、この作品の本質だ。そして真の問題はこの安直さが、作品外のパフォーマンスで覆い隠されたことなのだ。

「成功した『テラスハウス』」としての『シン・エヴァンゲリオン劇場版:||』

２０２２年３月、庵野秀明は「エヴァンゲリオン」シリーズの公式ツイッターアカウントを通じて、同作が私小説的に解釈されることに対して否定的なコメントを発表した。* 一般論として作者のコメントなどは、作者が作品をこう解釈してほしい／しないでほしいという願望の表明以上のものではなく、多くの場合は作品が描いてしまったものを隠蔽する効果を発揮する。したがって、人並みに知的であればこの種のパフォーマンスを真に受けることはない。

しかしここで庵野が今日のアニメファンの決して高いとは言えないリテラシーを前提に、印象操作を試みたことは明白だ。個人的にも、あれほどドキュメンタリー番組などで同作が私小説として読まれることを誘導しておきながら（それは庵野個人の意図ではなく、組織的な宣伝戦略かもしれないが）、そこが批判的な批評の論点になった途端に、作品外のパフォーマンスで世論をコントロールしようとする態度には疑問を感じざるを得ない。

そして重要なのはこの庵野のパフォーマンスこそが、同作がアニメという虚構ではなく、ＳＮＳという現実に主戦場を置いた作品であること、現代における虚構の敗北を象徴する作品であることを皮肉にも証明してしまっていることだ。

同作を一言で述べるのなら「成功した『テラスハウス』」だ。

『テラスハウス』は２０２０年まで、フジテレビで放映されていた恋愛リアリティーショーだ。見知らぬ男女６人が、共同生活を行なう過程を撮影するという趣向で、カップルが誕生すると、２人揃って共同生活から離脱（卒業）しなければならない暗黙のルールがある。同作は事実上、成り上がりたい若者たち（モデルやミュージシャンの卵が多い）が、名前を売るために、もっといえばインスタグラムのフォロワー数を増やすために「うまく立ち回る」ゲームだった。

これがエスカレートした結果、ある住民が「炎上」し、誹謗中傷の嵐に晒され、自殺した。

＊「エヴァンゲリオン公式」(@evangelion_co) による以下3件のツイート (https://twitter.com/evangelion_co/status/1501157075652472832,https://twitter.com/evangelion_co/status/ 1501157843369541632,https://twitter.com/evangelion_co/status/1501158149918629894)

そして、この事件をきっかけに、番組は終わった。

こうして考えたとき『シン・エヴァンゲリオン劇場版:||』とは成功した『テラスハウス』に過ぎない。虚構よりも、現実が優位であり、SNS上の印象操作に成功するか否かによって評価が決定する。シンジとマリは、この印象操作のゲームに、現実に勝ち抜いて「エヴァンゲリオン」というテラスハウスを「卒業」したのだ。

虚構の敗北と批評の死

劇映画からスポーツ中継まで、映像技術と放送技術の発展した20世紀は、人類がこれまでにないレベルで平面に映し出された「他人の物語」に感情移入していた時代だった。人間は太古から他人の物語に感情移入することによって社会を形成してきた。しかし、20世紀は映像技術と放送技術でそれがかつてないレベルで一気に大規模化し、日常化したのだ。マスメディアという怪物は「他人の物語」を用いてかつてない規模と速度で人々を動員し、社会を動かすことを可能にした。たとえばそれを最大限に利用したのがアドルフ・ヒトラーだった。

しかし21世紀に入ると、インターネットの登場でむしろ自分が体験したことを「自分の物語」として発信することのほうに人々の関心が傾いた。たとえば競技スポーツを「観る」ことよりもライフスタイルスポーツを「する」ことが、都市部の現役世代のアーリーアダプターであればあるほど支持される。

その結果として、「他人の物語」を提供するオールドメディアの側も現在の情報環境に適応しはじめている。たとえば国内のテレビで言えば「お茶の間からハッシュタグへ」と言われる現象がある。かつてのお茶の間で家族と一緒に見られていたテレビは、今はハッシュタグを通じて世界中にいる同じものが好きな人と盛り上がるものになった。コンサートや競技スポーツ観戦も、プレイの内容やゲームの展開は二の次で「あの正月は家族と沿道で応援した」といった自分の物語のための素材として消費されることを前提にその興行が設計されるようになって久しい。

こうして考えたとき、長期的な変化としては20世紀のレベルで「他人の物語」が文化の中心に居座るのはおそらく難しい。人間はそれがどれほど希少でも他人の物語を観るより、それがどれほど凡庸でも自分の物語を語るほうが好きな生き物だ。そして情報技術は誰でも簡単に自分の物語を語ることを可能にした。人類は「自分の物語」を語り、発信する快楽を覚えてしまった。もはや、後戻りはできない。そしてこの「他人の物語」から「自分の物語」への移行は虚構の現実に対する相対的な敗北を意味している。私たちは、虚構の中の他人の物語に感情移入するよりも、現実の中での自らの言動に承認を与えられる快楽の側に、その関心を移しはじめている。作品を株券のように扱い、「みんな」が支持しているものを自分も支持することで一体感を味わうゲームに、作品を鑑賞することそのものよりも大きな快楽を感じている。あるいは、表現されたものの政治的に正しくない側面を指摘し、タイムラインでその意識の高さを誇る行為のもたらす充実感に酔いしれている。作品を鑑賞する行為（受信）がそれを用いて承認を獲得する行為（発信）に圧倒されつつある。

作家が、事実関係の間違いならともかく――『アルプスの少女ハイジ』の舞台をアマゾンの奥地だと間違えてとらえている批評が書かれていたならともかく――解釈のレベルのことを読者に「指定」するのは、どう考えても一線を越えている。しかし、もはや読者／観客の多くは、作品そのもの（虚構）ではなく、作品についてのコミュニケーション（現実）に関心の重心がある。作品の表現よりも、作家の人生に関心があるし、他のみんなが褒めている／貶しているものに、自分がのるかそるか、どちらにすればポイントが稼げるかという現実にむしろ興味がある。だからこの「大本営発表」を誰も批判しない。

こうして、虚構と現実のパワーバランスはいま確実に後者に傾いている。人間が「正しさ」や「おもしろさ」を基準に、他の人間と採点し合う相互評価のゲームは極めてインスタントに承認欲求を満たす。そして人々はこのゲーム（現実）の快楽に夢中になり、物語（虚構）の快楽を忘れつつある。しかし、僕は虚構だけが表現できる価値があると（当然だが）考える。そのいま、世界から次第に忘れられそうになっている価値をどう、再浮上させるのか。それが今の僕の大きな関心だ。

批評の役割

このような虚構の敗北は、批評という行為そのものを難しくしている。たとえば、本書でも取り上げている国内商業アニメーションにおいては、物語分析やテーマ批評を中心としたアプローチに対しては以前から、観客や劇場パンフレットなどの広報的な媒体を主に手がけるライターなどから強い反発がある。これらのアプローチは「アニメーション」であること独自の特徴を軽視している、というのがその主な主張だ。しかしこれは少し考えれば誰でも分かることだが、逆の立場から同じ論理での反論も可能で、アニメーションという手法を重視し、物語や視覚表現の思想的な、社会的な、歴史的な背景などを軽視したときそれは本当に表現の内実を語ったと言えるのか、という疑問が生じる。それは逆に同時代サブカルチャーとしての作品の力から目をそらすことにもならないのか、と。

果たして戦後的な男性性(女性性)の問題とロボットアニメ(魔女っ子もの)の快楽を切断できるのか? 俗に「花の24年組」と呼ばれる萩尾望都や竹宮恵子、山岸凉子といった少女マンガ作家たちの性的な表現の進化は、背景に戦後日本のジェンダー状況が大きく働いていたことは自明ではないか。より複雑な例を述べれば『機動警察パトレイバー2 the M ｏｖｉｅ』という映画を成立させているのは（僕が『母性のディストピア』で論じたように）むしろ主題と手法の必然的な一致ではないのか。こうして挙げていくとキリがない。そもそもあるアプローチを取る書き手が別のアプローチを取る書き手をこのように論理の破綻も顧みずに貶めること、そしてそのときにある領域へのアプローチそのものを否認することは極めて愚かな行為だ。ここには作家の「大本営発表」を「正解」として受け止めてしまうことと同種の安易さが存在するのではないか。それは言い換えればやはり「虚構」の「現実」に対する敗北の生んだ現象の一つに見える。

僕の回答はシンプルだ。単に両方のアプローチがあっていい。実際に僕も物語に注目することもあれば演出に注目することもある。アニメファンの中にはジャンル横断的な文芸批評や社会学的なアプローチに対する（知的なコンプレックスによる）反発が根強くある。しかしそれは、端的にくだらないことだ。僕はそれぞれ得意なやり方で、あるいは作品や発表媒体に合ったかたちで試行錯誤していけばよいとしか考えられない。

そして、真の問題はこうした馬鹿馬鹿しいこと、愚かしいことではなく、このような書き手にも読み手にも通じる批評的なものへのアレルギーが、この国のサブカルチャー史の不幸な側面とどこかで結びついているように思えることだ。

2つの政治回帰

そもそも「旧エヴァ」は『宇宙戦艦ヤマト』的な架空年代記（の中での父権的な自己実現の仮構）と『うる星やつら』的な終わりなき日常（の中での幼児的全能感の保全）との共犯関係――主人公は『うる星やつら』的な日常を守るために『宇宙戦艦ヤマト』的な戦地の非日常に赴き、その一方で『宇宙戦艦ヤマト』的な活躍を背景に『うる星やつら』的な日常で特権的な位置を与えられる――を作品の中に織り込み、戦後のアニメーションというか、オタク文化が育んできた虚構を用いたヒーリングという回路の総決算だと位置づけることができる。

これは僕がかつて「旧エヴァ」、つまり90年代に社会現象を起こしたかつての『新世紀エヴァンゲリオン』について書いた文章だ。[*] ここでの『宇宙戦艦ヤマト』（的なもの）と『うる星やつら』（的なもの）は、当時（70年代～80年代）のマンガ、アニメといった分野が引き受けていた「戦後」という時代の2つの精神性のことだ。全員が日本人に設定された乗組

＊『水曜日は働かない』一九〇ページ。

員が戦艦「大和」を改装した宇宙戦艦に乗り込み、ナチス・ドイツをモデルにした宇宙人の侵略に立ち向かうこの物語から、日本を連合国側（勝利した側）に置いた第二次世界大戦の「やり直し」という側面を軽視する（たとえば、アニメーションの「手法」にこそ本質がある、という立場を取る）こと、あるいはその裏返しとしての『うる星やつら』が結果的に体現してしまっていたアメリカの核の傘の下にあることを戦略的に忘却（したふりを）することでの日常性の肯定といった側面を無視すること――。これらは、当時（1968年以降）の政治的なものから距離を取ることこそ知的で、倫理的な態度であるというユースカルチャーのモードの無自覚な踏襲以外の何ものでもない。そして、この政治的なものへの免疫のなさ、総合的に（そこには当然、歴史や社会的なものへの接続が含まれる）作品というひとつの運動をとらえる視線の拒否こそが、僕には今日の、特に僕と同世代やそれより年長の世代のオタク的な感性と、インターネット上の歴史修正主義やヘイトスピーチとの親和性の高さをもたらしているように思えてならないのだ。僕たちは、この問題から目をそらす訳にはいかない。

「政治の話なんてダサくてできない」と語っていた新人類（後の「サブカル」）たちが加齢と社会不安に負けて政治的なイデオロギーと結びつき左傾化し、中にはテクノフォビアや反ワクチンといったものすら許容する人々まで目立ちはじめたその一方で、自分たちは中立的な技術を正しい知識に基づき批判的に用いることでイデオロギーの罠を回避できると述べていたおたく（のちの「オタク」）たちは同じ理由でその少なくない人々が右傾化し、歴史修正主義やヘイトスピーチを許容してしまっている。『宇宙戦艦ヤマト』の内包していたイデオロギーを表現の本質から遠い場所にあるものだとして論じることを退け、アニメーションの技術に注視して語ることを良しとする態度と、現状のオタクたちの稚拙な政治への「回帰」が無縁だと、本当に言えるだろうか？

歴史への態度をめぐって

歴史を捏造する／したつもりになる（宇宙戦艦ヤマト）か、歴史を忘却する／したふりをする（うる星やつら）か。この2つの立場は、一見対立するようでいて、実は共犯関係にある。架空年代記の中で歴史の捏造（ごっこ）が可能なのはそれは現実の歴史を忘却したいという欲望が社会の中で暗黙に共有されているからであり、そして歴史の忘却（をしたふり）が可能なのは歴史は作られたものに過ぎないというニヒリズムがやはり共有されているからだ。

宮崎駿は、80年代には「赤から緑へ」の流れを取り入れることで、90年代以降は日本的な霊性、アニミズムに傾倒することで、別の角度から歴史への再接続を試みた作家であるという側面があり、富野由悠季の展開した『機動戦士ガンダム』他のロボットアニメでは、『宇宙戦艦ヤマト』的なアプローチが批評的に受け継がれ、架空年代記（宇宙世紀）とそれを生きる拡張身体（モビルスーツ）の可能性と限界が描かれていった。

そして『うる星やつら』のテレビシリーズのチーフディレクターだった押井守は、その歴史の忘却をアニメーションの、正確には20世紀的な劇映画そのものの虚構性と重ね合わせてメタフィクション的なアプローチで批評的に描き出していった。このアプローチはやがてアニメーションという手法を用いたメタ劇映画（たとえば『パトレイバー2』）に発展していった。

そして庵野秀明による『（旧）エヴァンゲリオン』はこれらの先人たちの試行錯誤の総括として出現した。同作が『宇宙戦艦ヤマト』的な架空年代記（の中での父権的な自己実現の仮構）と『うる星やつら』的な終わりなき日常（の中での幼児的全能感の保全）を対立するものではなく、共犯関係として設定し、その構造をメタフィクション的に自己批評しているのはそのためだ。そしてその試みは、現実の事故的な侵入による作品世界の破綻（テレビシリーズ最終回）と、その破綻を受け止めた敗北宣言（旧エヴァ劇場版）として幕を閉じた。それは、革命で世界を変えるのではなく虚構の中に逃避することで自己の内面、世界の見方を変えるのだという20世紀後半のユースカルチャーのモードそのものの「終わり」を、日本で体現する現象だったのだ。かくして「虚構」は敗北し、「現実」優位の時代が回帰し始めたのだ。

戦後アニメーションの「2016年問題」

そして、その約20年後の2016年にこの問題は反復されている。この年に公開された（同じ庵野秀明による）『シン・ゴジラ』と『この世界の片隅に』はかつてこの国のアニメーションの想像力を支配していた歴史への欲望（捏造と忘却）をそれぞれ引き継いでいる。ただし、直接的にではなくメタ的に、だ。

『シン・ゴジラ』は「もし、平成の政治改革が成功していれば日本は没落しなかった（東日本大震災と福島第一原子力発電所の事故に日本はもっときちんと対応できていた）」という仮想世界を用いたアイロニーであり、『この世界の片隅に』はなぜ、戦後の日本人は歴史の忘却（をしたふり）を欲望しはじめたのかというメカニズムを、戦中の一主婦の姿を通じて描いたものだ。前提としてどちらも優れた作品だが、それゆえに同時に戦後のアニメーション（特撮）の想像力の限界を示している。それはつまり、この戦後という長過ぎた時間に対して気の利いた嫌味を述べること（シン・ゴジラ）と、かつてはこのようなものではなかったと思い出話をすること（この世界の片隅に）がもっとも洗練された表現として出現してしまったことの限界だ。

同じ2016年の夏に公開された『君の名は。』がまさに、「架空年代記」(震災＝彗星の落下による人的被害を回避できた歴史)を提示して、たかだか5年前の歴史を「忘却」させるヒーリングを提示して国民的なヒットを記録したことを合わせて考えれば、何が起きているかはより明白だろう。この国のアニメーションは、敗戦から70年を経た今となっても、戦後という名の呪縛から逃れられていない。歴史というものを正面から受け止めることができず、都合のよいものを捏造するか忘却したふりをするか、こうすればよかったと嫌味を言うか、昔はそうじゃなかったと自分たちを慰めるかしかないのだ。

90年代の終わりに、庵野秀明が引き受けたはずの「虚構の時代」の終わりはこうした戦後的な想像力の終わりであってもよかったはずだ。20世紀最後の30年を席巻した、文化の力で自己の内面を変えるというユースカルチャーのモードが、インターネットの登場とともに終わりを告げる。革命という失敗を再起動するのではなく、政治ではなく経済で世界を変えることが再び信じられるようになる。そしてグーグルかユーチューブを5分検索すればたいていの物語よりも刺激的な現実が見つかり、人々は見る映画を選ぶときに何よりまずそれをみんなが見ていて、タイムラインの潮目を読むのに使えるかどうかを基準にして、見た後はどちらに賭けたほうが評価経済的に、動員のゲーム的に有利かを考えて発言するようになった。

『シン・エヴァンゲリオン劇場版:||』問題再び

そして『シン・エヴァンゲリオン劇場版:||』からはさっぱりと、この国のアニメーションが抱え込んできた歴史との対峙という問題が抜け落ちてしまっている。これがおそらく、旧作とこの新劇場版との最大の違いだ。そして僕はここに、決定的な空疎さを感じる。

映画の公開と、それにまつわる作家の苦闘の物語に心を打たれた人が多いのは構わない。その気持ちを僕は否定しない。しかし僕はそのことで、アニメそのものの空疎さが意味することがまったく問題にされなくなっていることを残念に思う。いや、正確には違う。たしかにこの現実の物語は感動的だし、それを適切に伝えたプロモーションも立派だったと思う。しかし僕は力のある虚構が、アニメが見たかった。ただそのことが、とても残念だ。

虚構と現実を再接続するために

今日の虚構は、現実に敗北している。そのためにたとえば「歴史」のようなものへのアプローチがずいぶんと短絡的なものになってしまっている。それが僕の見解だ。では、どうすればいいのか、突破口はどこにあるのか。私たちは、虚構だからこそ描き出せるものに触れることで、はじめて現実に対して適切に対抗(対応)し得る。その確信がなければ、虚構とはただのサプリメントに過ぎない。しかしそうではない、と信じる力が虚構の側に立ち、ものを書くことを可能にしているのだ。

本書について

本書は主に2021年から2023年にかけて執筆した小説、映画、テレビドラマ、マンガ、アニメなどの作品評を収録した評論集だ。恐るべきことに、今日の情報環境においては本書が「評論集である」ことすらも、批判の対象になるだろう。よく目次も確認せずに購入し、個別の作品評ばかりが並んでいるので期待外れだった、と気持ちよさそうにアマゾンのレビューーやツイッターのタイムラインに投稿する人が必ず出現するはずだ。アイスクリームを食べて「冷たい」と文句を言うことがおかしいことだと理解できない人たちが、それでも自分は何かを語り得る知性の持ち主だと自分に言い聞かせるためにこうした行為に手を染める。しかしここで重要なのは、こういった情報技術に支援された卑しさに抗うためにこそ、本書に収められたような虚構に対する批評は書かれているということなのだ。

1.『街とその不確かな壁』と「老い」の問題

村上春樹の新作長篇『街とその不確かな壁』を、発売当日に電子書籍で購入してキンドルで一気に読み通した。結論から述べるとこの作品は近年の、というか『1Q84』の〈BOOK3〉以降の自己模倣と内容の希薄化の延長にある作品で、彼の長篇の中でももっとも記憶に残らない薄弱な作品の1つになってしまっていると言わざるを得ないだろう。

僕は昨年出版した『砂漠と異人たち』(朝日新聞出版)で、この村上春樹について20世紀後半を代表する作家として扱い総括的な批評を試みた。そしてこの『街とその不確かな壁』という小説は同書における僕の村上についての総括から、半歩も踏み出していないように思う。それは、とても残念なことだ。

批評家とは天の邪鬼な生き物で常に作家に、正確には作品に「敗北」したがる生き物だ(そもそも、戦っているのではないのだけれど……)。批評家は作品に出会うことでこれまでの自分の築き上げた理論や世界観が根底から揺さぶられるような、マゾヒスティックな快感に取り憑かれている生き物なのだ。だから、自分の思想をそのまま書くのではなく、常に出会った事物（この場合は作品）に「ついて」考え、書くことをやめられないのだ。
しかし、近年の村上はそういう快楽を与えてくれる作家では、つまり読者をしっかり傷つけてくれる作家ではなくなってしまったように思う。だからこそ、時代の象徴として（申し訳ないけれど「一般論」的な紹介として）、僕は『仮面ライダー』や『アラビアのロレンス』といった本当に批評したい存在を語る上での補助線としてこの作家を便利に使ってきた。しかし今考えるとそれは少し失礼なアプローチだったかもしれない。だからこの文章ではこれまでとは違う角度で、村上について寄り添いながら考えてみたいと思う。駄作に過ぎないと切り捨てるのではなく、彼が暗礁に乗り上げた原因とその脱出方法を考えるのがこの文章の目的だ。

この『街とその不確かな壁』は村上春樹が1980年に雑誌に発表したほぼ同名の中篇小説「街と、その不確かな壁」を下敷きにそれを長篇化したものだ。広く知られているようにこの中篇は1985年に発表された長篇『世界の終りとハードボイルド・ワンダーランド』の原型になっている。『世界の終りとハードボイルド・ワンダーランド』は「世界の終り」と「ハードボイルド・ワンダーランド」という2つの物語が並行して進行し、やがてこの2つの物語の関係が浮かび上がる、という仕掛けだ。「街と、その不確かな壁」はこのうち

『街とその不確かな壁』は「世界の終り」の原型になっている。対して、今回出版された『街とその不確かな壁』は「ハードボイルド・ワンダーランド」というもう1つの物語を並走させることなく、かつての作品世界を拡張したものになっている。

では、簡単にその内容を紹介しよう。まず、17歳の少年（主人公）が登場する。彼には1歳下の恋人の少女がいる。彼女は「直子」という名前でたびたび村上春樹の作品に登場するタイプの少女だ。つまり、繊細であるがゆえに精神的なタフさを持たず、その弱さを主人公への依存で埋め合わせるタイプの少女だ。このタイプの登場人物は村上春樹の特徴である「自分より弱い女性に必要とされる」ことで主人公の男性的ナルシシズムを成立させるため、ほぼ毎回のように登場する。

主人公と彼女は文通と性関係を伴わない高校生らしいデートを重ねていくが、ある日少女は突然連絡を絶つ（精神的な不調が仄めかされる）。主人公の中で彼女は神格化され、その後彼は、東京の大学に進学した後も、そして就職した後も彼女のことが忘れられず、独身を貫き通している。

そんな彼が40代も半ばになったときに、道路に空いていた「穴」に落ちたことがきっかけになり、異世界にワープする。もちろん、この異世界は剣と魔法の世界……ではなく、少年時代に主人公が彼女との文通の中で作り上げていた異世界（「壁」に囲まれた街）だ。この異世界は『世界の終りとハードボイルド・ワンダーランド』と同じように、主人公の無意識の作り上げた世界だと考えればいいだろう。

この異世界では人間は「影」と分離される。「影」はその人物の社会的な自意識のようなものだと考えればいい。そして「影」を失った人間は感情の多くを失い、淡々と暮らすことになる。主人公はそこで、「夢読み」という仕事を与えられる。本が一冊もない「図書館」で、過去の人間の記憶を呼び覚まし、それを読むのが彼の仕事だ。そしてその仕事（集合無意識へのアクセス？）を補助するのが「影」を失い、感情が薄弱になったあの「彼女」だ。

主人公は彼女との再会を喜ぶ一方で、「影」と切り離され、感情を失うことに疑問を持つ。そして主人公は切り離された「影」と再会し、本体と切り離された「影」は遠からず衰弱して死ぬこと、そうすると自身の感情も消えることを知る。主人公は「影」と一緒にその街の「壁」を超えて、もとの世界に回帰することを決断する。しかし、土壇場で主人公は「影」だけを現世に戻して、自分はこの「壁」に囲まれた街の世界に留まることにしたと述べる。そして「影」だけが現世に帰還する。

現世に「影」が帰還すると、主人公は穴の中で目覚める（つまり現世の主人公の意識は異世界に残った側の意識ではなく、「影」の側の意識なのだ）。そして（再び彼女と再会するために）これまでの人生を改める。異世界と同じように図書館で働くと異世界にまたワープできると考え、会社を辞め、福島の山村の図書館の館長職に転職する。そこで、彼は前任の館長の幽霊に導かれながら、現世の中に異世界との扉のような場所を発見する。

やがて主人公はサヴァン症候群の少年と親しくなる。現世に興味を抱けない少年は、主人公がかつてアクセスした異世界に関心を抱き、主人公との交流を蝶番にして異世界にワープする。少年は異世界に残った側の主人公の分身（本体）と一体化し、夢読みの仕事を続ける。しかし主人公の側が、やがて夢読みの仕事を辞め、後を少年に託して現世に帰還することを選ぶ。

物語の後半の異世界での主人公の言動は、現世での主人公の行動とリンクしていると思われる。主人公は福島の山村で知り合った女性と、思春期の情熱とは異なった愛情で結ばれようとしている。つまり、現世の主人公が生活にようやく興味を抱きはじめたために異世界の彼も帰還を望むようになったのだ。そして現世の彼の無意識に連動した異世界の側の主人公が現世に帰還したことが示唆されて、物語は終わる。

まず、この小説を語る上で重要なのが、村上春樹が90年代から掲げていた「デタッチメントからコミットメントへ」という主題がほぼ完全に消滅していることだろう。もちろん、同じ主題を反復して書かなければいけない理由などない。しかし、この小説の薄弱さを語る上では、この主題の消失は避けて通れない問題だと思う。

団塊世代の村上は、60年代の政治の季節と70年代の敗北の経験をその創作の出発点にしている。つまりマルクス主義のようなイデオロギーに依存した社会へのかかわりは人間を思考停止に追い込み、ナチズムやスターリニズムを生み出してしまう。そのため村上はありとあらゆる価値に対し「やれやれ」と距離を取る「デタッチメント」を初期はその小説の中核に置いていた。それはニヒリズムではなく、倫理的であるためのデタッチメントだった。しかし彼はやがて「コミットメント」の側に舵を切る。やはり、倫理的であるためのコミットメントは不可欠だという、一般論的な正しさに応答するためだ。

そこで、彼が考えたのが「壁抜け」というモデルだ。歴史を物語（イデオロギー）として読むのではなく、まるでデータベースを検索するようにある場面の記憶を切り出して読み込む。そこにはたとえば残虐な戦争犯罪がある。それが旧日本軍だろうがコミンテルンだろうが満州の馬賊だろうが、その残虐な行為はそれだけで「悪」だと断定することができる。物語（小説）の力はこのような歴史に対する新しいアプローチを可能にする。そしてこの善悪の（イデオロギーに依存しない）判断は新しいコミットメントの根拠になるのだ。

しかしこの「壁抜け」には1つ問題がある。それはイデオロギーを排して前後の文脈を無視して歴史にアクセスするというアプローチにおいては、その人間の心が弱いと事後的に自分が願望する文脈が侵入し、そこで触れた歴史が自由にその意味付けを改変されてしまうことだ。現代的に言えばググルでたどり着いたブログや、ユーチューブにリコメンドされた動画を経由して陰謀論に染まるといった現象が発生してしまうのだ（村上は当時オウム真理教の事件に強い関心を抱いていた）。

ここでオウム的（陰謀論的）な「弱さ」に抵抗するために村上が導入するのが、これまでの作品で培われてきた男性的ナルシシズムに基づいた「強さ」だ。ただしそれは、「強い男が女子供を守る」といったマチズモではなく「弱い女性に必要とされることで自信を得る」といったタイプの男性的ナルシシズムだ（当然、フェミニズムから強い批判を受けてきた）。その結果として彼の作品の「コミットメント」のリスク、コスト、責任は彼に無条件に承認を与える女性登場人物が負う（手を汚す、責任を取る）という構造が定着していった。

しかし、村上春樹の性搾取的なモチーフは少しずつ後退する。無条件で自分に愛を捧げる妻（的な存在）がコミットメントのコストを代替する『ねじまき鳥クロニクル』や『1Q84』に対して、近作……たとえば前回の長篇作品である『騎士団長殺し』では、そもそも主人公の女性への欲望が明らかに後退している。相変わらず（自分より弱い存在として設定される）運命の恋人（妻）からの全人格的な承認を必要としている主人公だが、その承認の手段は随分と大人しいものになっている。せいぜい別れた妻との段階的な復縁と近所に暮らす美少女からの尊敬を得ること、くらいに縮退しているのだ（これでも十分、しょうもないな、とは正直思うのだけれど……)。そしてここが重要なのだが、この女性への所有欲の縮退に比例してコミットメントもまた縮退しているのだ。

そもそも『騎士団長殺し』では手段と目的が転倒している。「コミットメント」のために「性搾取(によるアイデンティティの確認)」があるのではなく性搾取による自信回復のために(歴史への)コミットメントがある。『騎士団長殺し』では、主人公は超自然的な力で異世界的な場所にワープして、そこで南京事件やアンシュルスなどについて学ぶ。そうして得た力で彼は家出した近所の女の子を探して助け出す。これは言ってみれば家出した近所の女の子を探し出すために社会科見学して歴史への見識を強化しているようなものだ。多くの読者がそうだろうが、僕は最初にこの小説を読んだときに心底どうでもいい問題を扱っているなと感じた記憶がある(そもそも歴史に詳しくなって近所の美少女に尊敬されたいとか考えている中年男性というのはあまりに悲しい存在ではないだろうか……)。

そしてポイントはこのように女性差別が後退すると、コミットメントも後退するということだ、村上の中で女性所有とコミットメントは深くつながっているらしく(どう考えてもここに彼の限界がある)、片方が縮退するともう片方も縮退しているのだ。

村上春樹は「蜂蜜パイ」や『1Q84』、そして『騎士団長殺し』でたびたび自分の遺伝子を引き継がない子供を育てるということをロマンチックな決断と達成として描いている。

ここから逆に分かるのは、村上がいかに戦後的な核家族のビジョンに縛られているかということだ。いまどきステップファミリーを当たり前の「なんでもないこと」として描けないのか……とため息が出た読者も多いだろう。

同じように、この『街とその不確かな壁』では、セックスに応じられない女性との恋愛が、成熟の達成として描かれる。この程度のことが、偉大な達成（老成）であるかのように提示される。そもそもここまでアイデンティティの中核に男性的なものを置かなければ、女性依存的な世界観のもとに生きることもなかったことは明白なのだが……。しかし彼にとって「自分より弱い女性を所有し、彼女が自分の遺伝子を引き継ぐ子供を生むこと」は決定的に重要なことで、その断念を受け入れるのは偉大な達成であり、成熟なのだということだろう。そして、この女性観は村上春樹という作家の限界を大きく規定してしまっているように思う（もちろん、悪い意味で……）。

そして、この『街とその不確かな壁』からはいよいよ「コミットメント」は消失している。『世界の終りとハードボイルド・ワンダーランド』の『世界の終り』パートの結末で、主人公は現世への帰還を拒否し、街に留まり続ける。ただしその街を支えている構造的な犠牲（一角獣たちの死）から目をそらさずに、平穏な街の中ではなく過酷な森の中で暮らすことを選択し、その中に消えていく。それが「責任を取る」ことなのだと告げて。それは、言ってみれば消費社会の中に留まりつつも倫理的であるために自らを律するという（具体的にどうするのかは不明だが）態度表明でもあった。しかし、この程度の「コミットメント」すらもこの『街とその不確かな壁』には存在しないのだ。

もちろん、村上としては彼なりに「コミット」しているつもりなのかもしれない。終盤に登場する「疫病」というキーワード（さすがに、安直過ぎて僕は興ざめしたが……）ひとつとっても明らかだ。この「疫病」とは新型コロナウイルス……のことではなく、『1Q84』の「リトル・ピープル」のような現代人のアイデンティティ不安、心の弱さが生む「弱さ」といったものだろう（このパンデミックがインフォデミックに後押しされたものであることを考えれば、それほど的外れな比喩ではない）。これまで村上はこの「弱さ」を女性性の所有で克服するモデルを提示してきた。そして今回の「所有」のモデルはこれまでになくマイルドに（性愛を伴わないものに）なっている。好意的にとらえれば自己が他者を支配する「所有」から他者と対等に接する「関係性」に近づいていると考える人もいるかもしれない。しかし、僕は自分の弱さを誰かとの関係を特権化することで埋め合わせるという発想そのものが、とても傲慢なものであるように思う。

もっと言ってしまえばひとりひとりが自己を「強化」することで「疫病」に対抗することが本当に解決策（新しいコミットメント）なのだろうかと思う。ひとりひとりが強くなれば

「疫病」にかからない、という発想そのものが、僕はこれからの社会に対する想像力としてプラスに作用するとは思えないし、あまり実質のある思想ではないと思う。やっぱり、誰かが疫病にかかっても、社会の仕組みがそれをケアして拡大を抑制する、という方向で考えていかないと意味がないのではないか。「強くなれば病気にならない」というのは「強くなった自分を誇って気持ちよくなり」たいときに出てくる発想だ。

この傾向は今にはじまったことではなく、『1Q84』の〈BOOK3〉あたりから徐々に見られた傾向だ。まず「羊」「やみくろ」「みみずくん」「リトル・ピープル」といった、新しいタイプの「悪」（現代人のアイデンティティ不安のもたらす悪、高度資本主義が生む社会のひずみの象徴）の存在が作品から後退するようになる。それでも『騎士団長殺し』まではかろうじて残っていた「歴史へのあるべき態度の模索」といったテーマも、この作品では消え失せている。残ったのは、初恋をこじらせたまま40代半ばを迎えた中年男性の自分探しといった、申し訳ないけれど本当にどうでもいい主題だけなのだ。

もちろん、この一見どうしようもない、ありふれた問題を物語の力でそうではなくしてしまうのが文学の機能だ。しかし残念ながらこの『街とその不確かな壁』は「それ」ができていない。戦後日本人男性としてあまりに凡庸で、ありふれた男性ナルシシズムの軟着陸先が、既にさんざん検討しつくされたものの中から選ばれて、ありきたりなかたちで記述されているだけだ。しかも本人はそのことにまったく無自覚だと思われ、まるで偉大な達成を直し遂げたかのように誇らしく、ロマンチックに提示されるのだ。

繰り返すが別に「コミットメント」なんて主題は捨ててしまっても構わない。世界には他に描くべきことなど無限にあるはずだからだ。しかしその代わりに描かれるのが、二周くらい遅れて団塊世代の男性がその男性中心主義を多少反省してソフトになりました、程度のことを全力で誇ることだとしたら、それは想像力の敗北だ。たとえば性的なものひとつとってても、そこにあるのはただ凡庸な所有欲で、何の倒錯も変態性もなく、したがってそれが主人公そのものを変質させて意外な場所に連れていくこともない。

おそらく、村上春樹はかつてのように女性への所有欲を抱けなくなっている。それは自身の男性中心主義への反省の結果なのか、単に加齢によるものなのかは分からない。そして彼の中でコミットメントと性搾取は深く結びついてしまっているために、性搾取が後退するとコミットメントも後退する。近年、村上春樹はインタビューなどで「社会的発言」を以前よりは積極的に行なうようになった。その発言の大半を僕は政治的に支持するが、そこにとりわけユニークな視点や深い問題理解は感じない。それは至って凡庸なものだ。つまり作品世界におけるコミットメントのかたちの模索の放棄を、現実世界での凡庸な「社会的発言」が埋め合わせているのだ。社会的発言はもっと、もっとあっていいはずだがそれには小説の内容が伴っていてほしいと考えるのは、作家に対しての要望としては正当なものだろう。

本作はおそらく無自覚な老人小説である。要するに、かつてのように性愛を軸にアイデンティティを維持し、社会にコミットできなくなった老人が中年を装って自分探しをする……それがこの小説の正体だ。そしてこの構造におそらく村上は十分に自覚的ではない。

そもそも加齢は人間に総合性を要求する。アイデンティティの中核に性愛を置いていた人間は加齢とともに心身的にその追求が難しくなる（少なくとも欲望は減衰する）。職業を通じて経済的に世界に関与することを重視していた人間も、キャリアによっては組織からの引退（定年）や体力の低下による撤退の可能性に晒される。要するに加齢は人間にある回路だけを通じた一点突破型の社会とのつながり、アイデンティティの形成を難しくするのだ。だから老齢化は人間に分散型の、さまざまな回路を通じた「総合的な」社会との接続とアイデンティティの形成を要求する。

いま、村上が直面しているのもおそらくこの問題だ。イデオロギー（共同幻想）に背を向け、性愛（対幻想）を中核にアイデンティティを形成してきた村上春樹的なアプローチは、加齢とともに維持が難しくなっていっているのだ。

しかし、僕は思う。これは村上にとっては作家として進化する契機なのではないか。だから最後に僕なりに村上が乗り上げた巨大な暗礁からの脱出口について考えてみたい。

村上はかつて「総合小説」を書きたいとその作家としての目的を述べていた。これは人間をそれを取り巻く世界（時代や社会構造）を含めて総合的に描くもので、作家がその世界観のすべてを込めるものだと考えればいいだろう。そして加齢によって社会への接続面とアイデンティティの構築にある種の総合性が結果的に求められてしまう今の状況は、村上が今度こそ本当に総合小説に挑戦する契機になるように思えるのだ。

たとえば同性間の「友情」というモチーフがそうだ。

村上作品における女性は、男性主人公が世界と接続するための回路として（概ね、固有の人格を尊重されないかたちで）描かれてきた。対して男性の友人（「鼠」「五反田君」など）は主人公の分身として、より具体的には自分が選ばなかった人生を歩むオルターエゴとして、時代に適応できず／過剰適応して自死する役割を与えられていた。意地悪な言い方をすれば、自分は「こうはならなかった」という正当化の材料として登場するのが「男性の友人」だったのだ。

しかし『砂漠と異人たち』で指摘したように、近年の村上の作品ではこの「男性の友人」の位置づけが変化している。たとえば短篇集『女のいない男たち』は、同性の友人（いずれも、これまでのようなオルターエゴではなく、対等な「他者」に近い存在として描かれる）との関係に期待するが、結局その関係は長続きしない、という物語が反復される。そう、

『女のいない男たち』は実質的には「男のいない男たち」なのだ。村上は、男性の友人が象徴するこれまでとは異なる回路で世界とつながろうと（少なくとも当時は）試みていたのだ。しかし、結局その試みは実を結んでいない。『女のいない男たち』に登場する「男」たちは結局、主人公と建設的な関係を結べないし、『騎士団長殺し』の免色もそうだ。しかし、この作家が正しく「老い」と向き合うためにはこうした「他者」としての「男」たちとの関係の構築は大きな意味をもつのではないか。

村上は正しくその「老い」と向き合ったとき、これまでとは異なる世界との接続面をその小説の中に取り込めるのではないか。そしてそれ以外にこの暗礁から脱出する方法はないのではないかと僕は思うのだ。*

＊『街とその不確かな壁』については、ニコニコ生放送「批評座談会〈街とその不確かな壁〉」(https://live.nicovideo.jp/watch/lv340936239) でも取り上げている。

2.『怪物』と「幸福」の問題

是枝裕和監督、坂元裕二脚本による映画『怪物』を観てきた。結論から述べると、僕はこの作品を傑作だと考えている。どうやら性的マイノリティの描き方について賛否が分かれているらしいが、ここでは少し別の側面からこの作品について考えてみたい（ある視点から考えたダメな作品が別の視点から考えるとよい作品だと考えられる、程度の思考に耐えられない人は社会や文化について、特に過激な言葉を用いて否定的なことを述べる前に少し「ものを考える」ということそのものについて学んで欲しいと思う）。

映画の内容をざっと紹介しよう。舞台は日本の地方都市（長野県諏訪地方）にある小学校だ。主人公の一人であるシングルマザーの麦野早織（安藤サクラ）はある日、一人息子のいくつかの奇異な行動から、担任教師の保利道敏（瑛太）による「いじめ」を疑いはじめる。彼女は小学校の事なかれ主義と隠蔽体質に憤りながらも、粘り強く抗議を続け、学校を謝罪に追い込む。しかし、息子の様子は変わることがない。映画は彼の身に何があったのかを、今度は担任教師の、そして最終的には彼女の息子の視点から物語を再提示し、立体的に描き出す。

坂元裕二は一時期社会派のテレビドラマを手がけることを得意とした作家である、と紹介されることが多かったように思う。しかしこれは少し、不正確な評価ではないかと僕は思っている。坂元にとって、少年犯罪やジェンダーギャップとは自分が描きたい人間の側面を効果的に引き出すための道具に過ぎない。このことは坂元が、社会問題そのものを描くことで得られるダイナミズムを（たとえば野木亜紀子の近作のように）手にできないことを意味する一方で、彼に大きな自由を与えている。

本作にも坂元のこうした社会への態度が大きく反映されている。たとえば早織が直面する21世紀の先進国とは思えない片親家庭に対する偏見、その彼女自身が陥っている性的マイノリティへの偏見やステレオタイプな家族観、「男らしさ」への無邪気な（だからこそ質が悪い）信頼などの取り扱いがそうだ。ここには確実にメッセージが存在する。いま列挙した暴力に対し、この映画は確実に異を唱えている。しかし、それはこの映画がもっとも描きたかったもの、提示される中心的な価値そのものではない。

では、それは何か。一番近いのは、後半で登場人物のひとり（田中裕子の演じる物語の舞台となる小学校の校長）の口にするこの言葉に込められたものだろう。「誰かにしか手に入らないものは幸せとは言わない」「そんなの、しょうもない」――彼女については作中で、自分の孫を運転する自動車で誤って轢き殺してしまったこと、彼女の校長としての立場を守るために夫が身代わりに罪を背負ったこと、そのことで家族が崩壊しつつあることが示唆される。彼女は善人とは程遠く、今日の公教育の保守的で、閉鎖的で、事なかれ主義が支配する負の部分を体現する人物でもある。そんな彼女（校長）が主人公の一人である少年――彼は自分が男性に恋愛感情を抱いていることに、罪悪感を抱いてしまっている――に告げるのが、前述の言葉なのだ。彼の置かれた状況を考えたとき、この校長の「そんなの、しょうもない」という言葉は間違ったものなのかもしれない。それが誰にでも手に入るものではない社会が間違っているのは、明白だからだ。しかし、ここで描かれているのはこういった自明の正しさを確認することではないのだ。ここで描かれているのは決定的に損なわれてしまった存在たちが、それでも生きていくために何が必要なのかという問いなのだ。だから彼女（校長）は「そんなの、しょうもない」と述べるのだ。多くの人たちが考える「幸せ」になれないことを肯定する回路が、ときには人間には必要なのだという確信がここには露呈している。それが物語の中で、決して正しくも美しくも描かれていない人物の口から語られる。その割り切れなさが、ここで提示される救済に力を与えているのだ。

この描写を政治的に否定することは簡単だ。それは敗北主義だ、その個人的なことをしっかり政治化して、社会の問題として解決するべきなのだ、と。僕もまったくそう思う。作者の意図を推し量っても仕方ないが、坂元も、是枝もおそらくそう考えてはいるだろう。少なくともこの映画は、その正しさを否定しない（むしろ、ある程度積極的に訴えている）。しかし、というかだからこそ、ここでこの映画は、その種の「幸せ」を「しょうもない」と捨ててしまえる領域に救済を配置しているのだ。正しさや、「幸せ」の外側に救済があること。それを虚構を通して提示すること。こうした行為すらも、政治的な正しさの追求を阻害するものとして取り締まってしまうとき、果たして「怪物」はどこに生まれているんだろうかと思う。いや、正確にはこの映画はそういったものたちを「怪物」として排除してしまう人間の性の悲しさを基底にした映画のはずなのだ。

映画の終盤近く、主人公の少年たちは「怪物」を問う遊びに興じる。ある動物を「答え」として指定した上で、「怪物、誰だ」と相手に問う。解答者は出題者に質問する。それは足が4本生えていますか、木に登りますか、と。出題者は正直に答える。解答者と出題者は交互に入れ替わり、1つずつ問いかけ合う。効果的な質問を考えた側が有利になるゲームなのだが、重要なのはこのゲームにおける「怪物」はまったく否定的な意味を帯びていないことだ。物語の序盤から中盤にかけて、否定的な意味で用いられてきた（だからこそ、真の「怪物」とは誰か、という政治的な問いが成立する）この言葉の意味が反転するのだ。

世界には、あなたは怪物ではないと言ってもらえることで得られる救済と、怪物であることそのものをむしろ肯定することでの救済とがある。僕はどちらかといえば後者の救済に魅力を感じる。少なくともこの2つの救済が、両立しないとはどうしても思えない（どちらも存在していい、いやすべきなのではないだろうか）。そして、「世間」の顔色を窺い過ぎなければ、この映画がこの「救済」を通してもっと根源的な部分で人間を大切にしようとしていることは明らかだ。そのことが、少しでも伝わればいいと思う。

3.『ブラッシュアップライフ』と「平凡」の問題

今更だがようやく『ブラッシュアップライフ』を最終回まで観終えた。練り込まれた展開はもちろん、主役の安藤サクラをはじめ、30代の俳優たちの好演もあり最後まで楽しみに観終えることができた。バカリズムの脚本の日常の他愛もないおしゃべりを正確にシミュレーションして「共感」を誘う（彼に限らず、この種の「知的なお笑い」の定番とも言える）あの「ノリ」（とそれを最大化するための演出）はさすがに食傷気味だけれど、こういったいまや使い古された（いい加減サムくなりはじめている）手法を再生するための、タイムリープを活かした物語展開が功を奏していると考えればいいだろう。

さて、その上で今回僕が考えてみたいのは、この作品がおそらくはかなり無自覚に擁護してしまっているイデオロギーについて、だ。

ちょっと変わったところから話をはじめると、僕はさくらももこの『ちびまる子ちゃん』がある時期からすごく苦手になった。それは、大野君と杉山君の存在が前面化しはじめた頃だったと思う。彼らはスクールカースト上位の「イケメン」キャラクターで、主人公のまる子は彼らに憧れている。対して、藤木や永沢といった下位の男子たちには哀れみと蔑みの入り混じった感情を抱いている。いつの間にか、『ちびまる子ちゃん』にはカースト中位の「まる子」たちが大野君と杉山君（的なもの）を立て、藤木と永沢（的なもの）を下に見ることで自分たちの「中位」を確認するという側面が定着してしまったように思う。そして、僕はこの「イタいやつ」「失敗したやつ」「基準から外れているやつ」、つまり共同体の周辺にいる存在を指をさして笑い、石を投げることで自分を中心にいる存在に近づけるという卑しさとは、戦後日本のそして今日のこの社会の息苦しさそのものではないかと思うのだ。

この文章を読んでいる人の中にも、職場の「飲み会」が苦手な人がいると思う（僕もそうだ）。昭和の世界観に生きるオーナーや経営者や管理職は、「飲み会」でその場に居ない人の欠席裁判を開き、そしてその場にいる人間のメンバーシップを確認する。「敵」を指定することで、「仲間」を確認する。

僕が『ちびまる子ちゃん』に感じる息苦しさと卑しさはそんな「普通」のポジションを得るために個性の強い人を排除し、弱い人を蔑む「飲み会」的ないやらしさのソフトになったものだ。そしてそのソフトさの演出のために、日常のちょっとした「クスクス笑い」と、「みんな同じ」ことを確認するための「共感」が押し出される。そして、この回路はこの『ブラッシュアップライフ』にも継承されているように思う。

この『ブラッシュアップライフ』でもっとも尊いものとして提示されるのは、主人公たち幼馴染の4人組の関係性だ。彼女たちは「地元」の人間関係についてのゴシップと共通体験としてのテレビ番組の記憶を肴にして延々とおしゃべりを続ける。その内実はほぼ「無」と言っていい。あるのは、「共感」だけだ。たとえば作中では彼女たちの話題として「あの人はちょっとまずいからなんとかしてあげないと」というテーマが頻出するが、それは「私たちはマトモだけど」という「共感」のメタメッセージを確認するためだ。テレビドラマの話題も多く、そこでは私はこれが好き、あなたはこれが好き、といった「差異」が確認されるが、これもテレビ＝社会という前提の上で「今シーズンのイチオシは」といったゲームに興じているだけで、基本的にはむしろ自分たちは「同じ」スタイルで暮らしているのだという「共感」を確認するためのものだ。

要するに僕はこのドラマを見通して、この人たちは戦後のテレビ文化が代表する「みんな同じ」的な「共感」以外に、幸せのモデルがないのだと強く感じたのだ。そしてドラマ自体は楽しみながらも、ひどく薄ら寒いものを感じた。端的に言って、こうやって延々と「あの人ってちょっと……」と他人の噂話ばかりをしている人たちは、つまらないし、陰湿なのでかかわりたくないな、と思ってしまったのだ。そして、この違和感は要するに、僕がテレビ文化の、特にワイドショーやバラエティに感じるつまらなさと卑しさでもあるはずだ。

この物語の舞台は埼玉県の熊谷市だ。そしてこの作品における「熊谷」は、平成中期くらいで時間の流れが止まったかのような郊外都市として描かれる。市民の足は基本的にマイカーで、建売住宅から職場やロードサイドのショッピングモールに通う毎日を過ごし、リビングではテレビが点けっぱなしといった30年前のライフスタイルがいまだに圧倒的な支配力を発揮している。そして『ブラッシュアップライフ』は、そんな「何もない」「平成」の日常を肯定する。ヒロインは生まれ変わるたびに、学歴を強化しさまざまな職業を経験する。東京のテレビ局員、有名大学病院の研究医、そして若くして注目を集める旅客機パイロット……。しかし彼女の目的は途中から「ジモト」の親友たちを救う（飛行機事故に巻き込まれる運命を回避する）ことに集中する。「ジモト」の仲間たちとのロードサイドのレストランやラウンドワンでの他愛もないひとときこそが、この作品では至上の幸福として描かれるのだ。実際に物語の結末で、親友たちの運命を変えることに成功したヒロインは、最初の人生で経験した市役所職員に返り咲き、その後も「平成の郊外」のパッケージの中で仲間たちとずっとあの他愛もないおしゃべりを楽しんで100歳近くまで生きたことが語られる。しかし、僕はこの物語が自信満々に提示するこの人生観、幸福観に息苦しさを覚えたのだ。

その理由は2つある。1つは単純な話で、やはり生まれたからにはもっと世界を掘りつくしてみたい、新しい経験をしたい、という感情は人生を豊かにするために大事なのではないかという素朴な疑問だ。そして2つ目――こちらが重要なのだが――ヒロインが最終的にたどり着いた（回帰した）「ジモト」の「等身大」の「何もない」日常の幸福というのは、要するに前述のさくらももこ的なものなのではないかという疑問だ。この作品は自分たちが提示している「幸福」が弱い人や外部の人へのソフトな「排除」によって成立しているものだということにあまりに鈍感なのではないか。このバカリズムという「芸人」の描いた物語はテレビのワイドショー／バラエティ的な「普通」の立場から「普通ではない」ものを周辺に追いやって安心する、この国の戦後社会のいちばん醜い部分に鈍感だったのではないか。あるいは、その暴力性に自分たちはテレビという村の中心の世界に生きているのだから問題ないと、開き直ってしまっているのではないかという疑問なのだ。

仲間たちとお菓子をボリボリ食べながら、テレビ番組の内容や周囲の人たちに突っ込んで盛り上がるとき、「だから（突っ込んでいる側の）私たちはまともで、仲間だよね」というメタメッセージが確認されていることに、多少知的であろうとする人間なら自覚的であるべきだと僕は思う。そして、そのメタメッセージが確認されることのもたらす「共感」と「安心」が人間を「考えなくく」させることにも。

この作品でバカリズムが多用しているあの、日常的なクスクス笑いがそろそろ「サムく」なりはじめていることに、気づいた視聴者も多いと思う。そしてその「サムさ」をもたらしているものとは、つまりこういった構造への無自覚と甘え、なのだと僕は思うのだ。しかし、プライドの高い「テレビ村」の人たちは、たぶん願望が邪魔してこのことを認めたがらないだろうな、と僕は思う。そしてだからこそ、こうした批評が必要なのだということも。

4.『シン・仮面ライダー』と「人間」の問題

庵野秀明監督の『シン・仮面ライダー』について書く。知っている人も多いと思うが、僕は「仮面ライダー」シリーズの大ファンだ。映像作品としてはともかく登場するキャラクターの造形としては約50年前に放映された初代『仮面ライダー』の、特に初期（旧1号篇～2号篇の初期）あたりのものが至高だと考えている。中でも仮面ライダー旧1号は現時点の世界でもっとも美しい存在ではないかと思うくらいだ。僕の私生活の何割かは確実に仮面ライダーのグッズ、特にフィギュアの収集と撮影とメンテナンスに費やされていて、同世代の中ではなかなかのレベルのコレクターではないかと思っている。

僕はそういう人間なので、前提としてこの『シン・仮面ライダー』については「生まれてきてくれて、ありがとう」的な感情を抱いている。徹底的にこだわり抜かれた仮面ライダーのリニューアルデザインは、発表当初こそベルトやコンバーターラングのメカニカルな意匠に違和感を覚えていたが、徐々にその味わいが理解できてきて、今は素晴らしいデザインだと思っている。既にムービーモンスターシリーズとフィギュアーツとプラモデルは購入済みで、特にフィギュアーツの完成度についてはかなり満足している。今は、月末発売の一番くじの購入シミュレーションを詰めている。シン・仮面ライダーチップスのカードのコンプリートについては……と、延々と僕のコレクション状況について解説していても仕方ないので、本題に入る。何が言いたいのかというと僕はこれくらいこの映画が制作されたことに感謝している。しかしひとりの批評家としては、この映画の達成をしっかり位置づけるその一方で、問題点についてもきちんと言及せざるを得ない、ということだ。

この『シン・仮面ライダー』は、とりあえず初代『仮面ライダー』の現代化については相応の達成を残したと言えると思う。約50年前のテレビドラマ版、マンガ版の要素を巧みに再構成し、上手に織り込んでいる点も評価できる。特に前半のロードムービーは、アナーキーなヒーローとしての「仮面ライダー」の側面を生かしたアプローチとして成功している。庵野秀明が得意とするノスタルジックな画作りも素晴らしい。俳優陣では主役の2人（池松壮亮と浜辺美波）はもちろん、一文字隼人役の柄本佑が好演していたように思える（対して、友情出演的な大物俳優が目白押しのショッカー側の演技は「お友達仕事」感の漂うテンプレート的なものが多かったように思う）。

しかしその一方で、『キューティーハニー』（２００４）から引き継いだ特撮アクション演出（「ハニメーション」と呼ばれる）は悪い意味で低予算な邦画アクションの安っぽさを前面化してしまったように思える（実際『キューティーハニー』もそのために「サムい」映画として記憶されている）。このチープさが味なのだ、という見方は特に東映の等身大ヒーロー番組の特撮を見る上で重要な姿勢だが、このB級の快楽を2時間の映画で特にマニアでもない観客に教えることができなければやはり「負け」だろう（「俺たちが楽しめればよいのだ」という僕のような中高年の特撮オタクは放置すべきだ）。

また、おそらくは不出来なアクションを補うべく導入されたであろうCGがさらに悪い意味での安っぽさを生んでいた。ハチオーグとの切り合い、第2号とのライダー同士の空中戦、ダブルライダーとショッカーライダーとの対決……これらがCGではなく多少は出来が粗くてもスーツアクション主体でやりきるだけで（やれない事情があったのだろうが）ぐっと、この映画は引き締まったはずだ。このスーツアクションとCGの混在は、かえって傷口を広げてしまったように思える。

しかし、この映画の最大の問題はその物語面にある。庵野秀明の最大の弱点はその人間観の浅薄さだ。『シン・エヴァンゲリオン劇場版:||』あたりに顕著だが、この2020年代に庵野は90年代後半の俗流心理学ブームの影響下にある人物描写を半ばテンプレートのように繰り返してしまっている。本作でも『シン・エヴァンゲリオン劇場版:||』同様に人間の内面を描く＝幼児期のトラウマを描くという安易さに依存し続けている。そして登場人物の回復

はファミリーロマンスの実現（回復）として常に提示されるが、その内容がまたテンプレート的で浅薄だ。『シン・エヴァンゲリオン劇場版𝄇』における表面的な農本主義への接触による回復や、何の工夫もない幼少期のトラウマの告白、そして結末の「真のヒロインと出会えれば自分は救済される」とでも言いたげな保守的な女性観と家族観が全開になった安直さと淡白さは記憶に新しい。

そしてこうした弱点がことごとく露呈しているのが、クライマックスのチョウオーグ＝仮面ライダー第0号との対決のエピソードだろう。

そう、重要なのは庵野秀明がいま「仮面ライダー」をリメイクするにあたってこのような、事実上無内容な「敵」しか設定することができなかったという問題だ。誤解しないでほしいが、僕は最近で言えばＭＣＵ（マーベル・シネマティック・ユニバース）の作品の一部に見られるように（あるいは最近の「意識の高い」一部のテレビドラマのように）時代と寝た、現代的な社会思想や政治的なイデオロギーを体現するような「敵」を設定すればいい、とか言いたいわけじゃない（それはあくまで選択のひとつで、それを選べば正解というわけでもない）。ただ、この２０２３年に「仮面ライダー」をアップデートするとして、さすがに90年代的な俗流心理学丸出しの人間観に基づいた「トラウマ」を「敵」の動機に設定し、その傷からのファミリーロマンスによる回復という完全に使い古されたテンプレートを用いて「敵」の目的を描いてしまうのは、さすがに浅薄かつ安直に過ぎるだろう、ということだ。

たとえば、この20余年続いている「平成／令和仮面ライダー」シリーズでは、特に初期についてこの現代的な「敵」の設定にはかなりの創意工夫が見られていた。それはときに、石ノ森章太郎の遺伝子の継承としての物語（『サイボーグ009』の「天使編」「神々との戦い編」の継承としての『アギト』）であったり、「9・11以降」の現代的正義論の展開（としての『龍騎』）であったり、主人公を倒されるべき「怪人」のひとりに設定して「ヒーロー」という装置そのものを問い直す試み（『555』）だったりしたはずだ。しかし、こうした過去のシリーズの成果を庵野が積極的に取り入れたとは、残念ながら言えないだろう。そして、この自己模倣に閉じた姿勢は前述した（よりにもよって）『キューティーハニー』のものを継承した一部アクションの空回りにも現れている。

あるいは、せっかく石ノ森によるマンガ版『仮面ライダー』の要素をふんだんに取り入れ、石ノ森の他作品（『人造人間キカイダー』『イナズマン』『ロボット刑事』など）からも多くのキャラクターや設定を間接的に引用して織り込むのであったら、たとえばもう少し現代的な人工知能と人類との対峙の物語を展開しても良かったはずだ。しかしこうした要素も設定だけが開陳され、ほぼ今作では展開しない。

総じて、本作は悪い意味で庵野秀明が自分のノスタルジィの追求と自己模倣的なオリジナリティの結合に集中した作品に仕上がっている。繰り返すが、僕はこの作品については制作されたことそのものに感謝しているレベルで喜んでいる。しかし、はっきり言ってしまえばこの作品は僕のような人間に向けて作られ過ぎているという点において閉じている。縦（歴史）にも横（ファンコミュニティの外部）にも閉じている。この作品を、そしてこのような試みを支持するからこそ、これははっきり言わなければいけないことだろう。

『シン・ゴジラ』は分かりやすい達成（と、それゆえの限界）を持つ作品だったが、とりあえずは開かれていた。怪獣映画という文化を愛し、残すことだけを目的にすること「ではなく」、ただ面白い映画が見たいと考える観客に対して開かれていた。だからこそ『シン・ゴジラ』は特撮の、怪獣の魅力をまだ知らない人々にそれを新しく教える力すら持っていた。しかし、残念ながらこの『シン・仮面ライダー』ではその力は大きく減衰していると言わざるを得ない。

それはこの映画が、僕のような人間に向けて作られ過ぎていることに起因している。言いたいことは、まだまだいっぱいある。死神カメレオンとかまきり男は合成しないでほしかったとか、いわゆる「ラスボス」前の戦闘はショッカーライダーではなくてトカゲロンと怪人軍団が良かったとか、そういうことだ。しかし、この映画はこういう感想を抱くような人間を相手にし「過ぎて」いる。そしてそのことで、「仮面ライダー」のみならず庵野秀明という作家自身も進化の機会を逸してしまったように思えるのだ。

5.『暴太郎《あばたろう》戦隊ドンブラザーズ』と「天才」の問題

今更だがこの1年、僕がもっとも楽しみに見ていたのは日曜日朝の『暴太郎戦隊ドンブラザーズ』だった。脚本を担当したのはあの井上敏樹——平成仮面ライダーシリーズ初期(『アギト』『555』など)の立役者として知られる——だ。僕は彼の手がけた作品と出会わなければこの仕事をしていないというくらい強い影響を受けていて、いつの間にか本人とも知り合い、気がつけば精神的に「お供たち」の中に組み込まれ、挙句の果てには自分の会社でエッセイ集まで出版するようになってしまったのだが、あくまでここはそういった事情はすべてリセットして、ひとりの批評家として、冷静に、丁寧に、正確にこの作品と向き合いたいと思う。

その上で、結論から述べよう。これは「傑作」以外の何物でもない。問題はむしろこの傑作に、「天才の仕事」に批評は肉薄できるのかということ——それだけだ。

この『ドンブラザーズ』を一言で述べるなら、それはとりあえず「特撮ヒーロー『だから』こそできるスラップスティック」ということになるだろう。特撮ヒーロー「なのに」ではなく、「だから」なのだ。平成仮面ライダーシリーズの印象が強い井上だが、実はコメディ作家としての側面がある。特に『アギト』や『555』と同時期に手がけていた『ギャラクシーエンジェル』シリーズや『超特急ヒカリアン』などのアニメではナンセンスな笑いを得意としていた。こうした同じようにコメディ色の強い作品と比較しても『ドンブラザーズ』は圧倒的にスラップスティック色が強い。これはつまり、井上はアニメよりも実写（特撮）こそがスラップスティックに向いていると判断していることを意味する（『ドンブラザーズ』のルーツとして挙げられることの多い井上敏樹の初期の代表作『超光戦士シャンゼリオン』も、やはりスラップスティック色が強かった）。これは『ドンブラザーズ』本篇を数話観れば誰でも分かることだが、同作では明らかに特撮ヒーローの様式を「利用」して、スラップスティックを構築している。変身というギミック（アバターチェンジとそれに伴う瞬間移動）、各種のSF・ファンタジー的な要素（ヒトツ鬼、脳人、獣人、アノーニその他……）、巨大ロボを用いた戦闘などを「利用して」、通常のテレビドラマでは不可能な展開のスラップスティックを可能にしているのだ。

これは同時期に放映されていたNHKの大河ドラマ『鎌倉殿の13人』と比較すると分かりやすい。スラップスティック・コメディを得意とする井上に対して三谷はシチュエーション・コメディを得意とする作家（『王様のレストラン』『ラヂオの時間』など）だ。その技術が推理劇（というか和製コロンボ）に応用されると『古畑任三郎』になり、歴史劇に応用されると『鎌倉殿の13人』になる。しかし『鎌倉殿の13人』は（前提として素晴らしい作品だが）それでもまだ、大河ドラマの枠内での洗練のために三谷的シット・コムの要素が奉仕している。しかし『ドンブラザーズ』は違う。ところどころ、いや頻繁に井上的スラップスティックのために「特撮ヒーロー」であることが「利用」されているのだ。

象徴的な（分かりやすい）エピソードを挙げるのなら、第40話「キケンなあいのり」だろう。このエピソードでは、犬塚翼（イヌブラザー）と敵勢力の女性（ソノニ）が逃避行を共にする。そして2人の気持ちが接近した結果として、ソノニは翼に嘘を吹き込み、翼の手で彼の恋人を間接的に殺害させようとする……というまるで「昼ドラ」のような物語が展開するのだが、その一方でこの40話では高校生メンバー鬼頭はるか（オニシスター）の運転免許取得のエピソードが並行して描かれる。はるかはまったく運転ができず、教習所で次々と暴走事故を起こし大問題になる……という本当にしょうもないスラップスティックが展開する。そしてここからがすごいのだが、それまで並走していたこの2つのまったくテイストの違う物語がクライマックスで合流する。互いをかばいながら逃走を続けていた翼とソノニが敵に追い詰められ、絶体絶命となったとき「偶然」仮免許中のはるかの運転する教習車が暴走し、その敵を跳ね飛ばして2人は救われるのだ。これは、まさに特撮ヒーロー「だから」こそ可能な展開で、この言葉の最高の意味で人を舐め腐った脚本に、僕は心の底から震えたものだった。

しかし思い返せば「平成仮面ライダー」初期シリーズから井上と東映プロデューサー白倉伸一郎のコンビは常にこのような挑戦的な態度で作品に挑んでいたように思う。たとえば2001年の『仮面ライダーアギト』は、特撮ファンというよりはいちテレビドラマファンとして見た場合、他のなによりも90年代のアメリカのSF／サイコサスペンス（『X-ファイル』『ツイン・ピークス』）の構造を日本国内でもっとも、というかほとんど唯一正面から取り込むことに成功した作品だった。たとえば1999年放映の『ケイゾク』は、同じように当時のアメリカン・サイコサスペンスの影響下にある作品だが、結果的には90年代小劇場のテイストの会話劇が作品の中核に置かれ、サイコサスペンス要素は作品にダークなテイストを加味する程度の機能しか果たしていない（ちなみに僕はヒロインを演じた中谷美紀の歌う『クロニック・ラヴ』のシングルCDを発売日に買うくらいこの作品のファンでもある）。

しかし『アギト』は違う。東映の育んできた「仮面ライダー」と刑事ドラマの様式とノウハウをミックスすることでおそらく国内ではじめて、この種のSF／サイコサスペンスの事件の謎とともに登場人物の秘められた内面が徐々に明らかになる展開のダイナミズムを（それも極めてオリジナリティの高い応用で）国産の作品に取り込むことに成功しているのだ。そして『アギト』が偉大なのは、この「輸入と応用」さえもが「手段」に過ぎなかったことだ。同作において物語が終わり、すべての謎が明かされたとき視聴者が手にするのは、むしろ生き残った登場人物たちがそれぞれ体現する井上が「食べる」というモチーフに象徴させている人間への強い肯定感のようなものだろう。

すっかり『アギト』の話になってしまったが『ドンブラザーズ』の話に戻る。つまり、井上・白倉のコンビは20年以上前から「よい戦隊」「よいライダー」ではなく、単純に「よい作品」を制作するという前提があり、その上で東映特撮の様式（制約）をどう「利用する」かを考えている。それは特撮ヒーローを軽視しているとかそういうことではなく、むしろ徹底して敬意を持ってアプローチした結果だと僕は思う。ただ、残念なことに今日の特撮ヒーローのファンコミュニティでは様式を遵守することが尊ばれている。正確には様式のもたらす予定調和の快楽を重視し、あくまで予定調和の枠内でそれを裏切ることは歓迎されるが、それ以上のアプローチについては反発する傾向が強い。そしてこの様式への拘泥は、自分たちの思い出を守ることと結びつけられており、そのため井上・白倉のこうした「開かれた」態度はこれらのコミュニティの中で強い反発も生んできたことは間違いない。しかし、今回の『ドンブラザーズ』ではこうした反発はほぼ「制圧」されてしまったように思う。それも、他ならぬ作品の力によって。そう、みんな気がついたら『ドンブラザーズ』を「好きになって」しまったのだ。

ここには、この作品の本質が現れている。「特撮ヒーローであることを活かしたスラップスティック」の実現は、半分は目的だが、半分は手段だ。井上敏樹という天才は（そしてその脚本を料理したスタッフとキャストは）、週に1回、1年間、約50回に渡って毎週まったく異なるコンセプトのスラップスティックを考案し、それを概ね高いレベルで実現していった（事実上1人の人間がこのレベルで毎週スラップスティックを書くというのは、ほとんど前人未到のことのはずだ）。その結果として、登場人物たちは毎週毎週本当にさまざまなシチュエーションに放り込まれ、その結果としてさまざまな側面からその魅力を引き出されることになっていった。もちろん、ここについては演出や演技の貢献が極めて大きい。しかし、少しテレビドラマを見慣れている人なら、『ドンブラザーズ』は演技経験の浅い若い役者でも、鍵となるセリフや表情をマスターすればそれを手がかりに役にアプローチできる脚本になっていたことに気づくだろう（主人公のドンモモタロウ〈桃井タロウ〉で言えば「縁ができたな」という決め台詞、サルブラザー〈猿原真一〉で言えばあの「ん？」という表情など）。こうして育まれた登場人物への愛着が、いわゆる「井上アンチ」すらも制圧したというのが僕の観測だ。

象徴的なエピソードは第42話の「ドンびきかぞく」だろう。これは終盤の物語全体の決着に向かう直前のエピソードだ。ドンブラザーズの面々が、猿原の肉親を演じて詐欺師を撃退するという内容なのだが、ここではこの作品がホームドラマのキャラクター配置と構造を持っていることを作者(井上)が視聴者に提示している。嚙み砕いて言えば、『ドンブラザーズ』とはタロウが新しい仲間(疑似家族)を獲得する物語で、この先描かれる終盤の物語ではその関係性の変化が問われることを視聴者に示して、感情の地ならしをしておく効果を持つエピソードだ。これはこれまでの約40話で積み上げてきたキャラクターが十分に視聴者に愛されていなければ機能しないエピソードだろう。

そもそも『ドンブラザーズ』はキャラクターの「立ち」が異常によい。たとえば第10話の「オニがみたにじ」は、普通に考えるなら十分にキャラクターが立った後半(この枠で言えば30話以降)に配置されるエピソードだ。しかし『ドンブラザーズ』ではこのエピソードが10話で用いられる。そして十分に機能している。それは鬼頭はるかというキャラクターがこの時点で十分に「立って」いるからだ。そしてこの圧倒的な「立ち」の良さを実現しているのが、毎週まったく別コンセプトのスラップスティックという気違いじみた脚本なのだ。

もうひとつ、この『ドンブラザーズ』は伏線や謎をかなりの部分拾わずに終わった(にもかかわらず大幅に「炎上」しなかった)ことが特徴的だ。最初に断っておくが僕は物語に

「伏線の回収」とか「謎の解明」を求める人たちには軽蔑しか感じない。物語はパズルではない。虚構の中でしか存在できないものを作り出すことそのものに価値がある。あり得たかもしれない人生、現実には存在しない霊やモンスター、人間同士の奇跡のような関係性……人間の想像力が何かを生み出すこと自体に価値があり、伏線が回収されたり、謎が解明されたりするパズルのような快楽はその価値のごく一部でしかない。

そして「伏線の回収」や「謎の解明」は物語や演出、つまり表現そのものを鑑賞できなくても、あらすじさえ把握できれば（たとえば倍速視聴で見ても）理解できる、比較的低次な快楽だ。しかし、今日のSNS社会においては明らかに、この種の低次な快楽が創作物の提供する価値の中核だと考える人々の声が大きくなり、それは「誰かと共感すること」の快楽を提供するSNSプラットフォームのビジネスモデルと親和性が高いために歯止めがかからなくなってきているように思う。

しかし『ドンブラザーズ』はこの種のポピュリズムすらも、作品の力で圧倒してしまった。実際に、多くの視聴者が最初は「なんじゃこりゃ」と思ったはずだ（主に桃井タロウ他の登場人物について）。しかし、気がつけばあの5人＋αのことが好きになり、そして「謎」なんてどうでもよくなってしまったはずだ。この点においても、井上敏樹（をはじめとするスタッフとキャスト）は前人未到の達成をものにしたのだ。

ちなみに本人曰く脚本の締切は2週間で2本分、実質作業時間は10日だという。これを1年分実質的に1人でやり遂げるというのは、同じ物書きとして本当に信じられない達成だと思う。「寿命が2年縮んだ」と言っていたのもあまり冗談に聞こえなかった。24時間『ドンブラザーズ』について考え、そして最後は机に向かってひたすら考え続ける。ただただ考え続ける。そしてもう本当に何も出てこないというところまで自分を追い込みはじめてあのレベルのものが出てくるのだという。

自分はまだまだ修行が足りない。自分が60代になったときに、分野は違うけれどこのレベルのものを書くために、やれることを全部やろうと僕は心に固く誓った。そして、改めてここで断言したい。やはり井上敏樹こそオンリーワンなのだ。

6.『グリッドマン ユニバース』と「怪獣」の問題

映画の『グリッドマン ユニバース』を観てきた。最初に宣言しておくけれど、好きな人には申し訳ないが、僕はトリガーの諸作品——たとえば『キルラキル』とか『プロメア』とか——がそのドラマツルギーも演出も苦手だ。あの「一周回って、予定調和を愛するのが粋だ」という美学と、その美学に基づいて「これでもか」と「燃え」を叩き込んでくるパターンにどうしても物事をしっかり繊細にとらえる姿勢を放棄した思考停止と端的な退屈さを感じてしまうからだ。対して同スタジオの『SSSS. GRIDMAN』から『SSSS. DYNAZENON』は相対的に僕のようなこの自己目的化した「燃え」にまったくノれない人間にも、そのエッセンスを楽しめるように計算された作品になっていたように思う。

言ってみればこれらのシリーズは脂でギトギトの「燃える」「定番の」戦闘描写を胃もたれせずに消化できるように、口あたりの良いさわやかな日常の平熱の芝居で綴られるティーンの青春群像の描写を添えることで成立している。それも、どちらが主体か分からないレベルで後者にも重心が置かれている。

問題があるとすればそれは、最終回を迎えて3日くらい経つと登場人物の名前すら思い出せないくらい希薄な、その無内容さだ。よくできたサプリメントと言えばそういうことで、その無難さを「優しさ」だと解釈することもできるだろう。しかしこの優しい無内容さに報復されているのが、この劇場版の『グリッドマン ユニバース』だったようにも思う。

端的に述べるとこのシリーズの無内容さとは「怪獣」の無意味さだと言い換えてもいい。『SSSS．GRIDMAN』における「怪獣」とは（というかそもそも同作の世界とは）アカネという孤独な少女の妄想の産物だ。そして、このアカネが怪獣を必要とする理由は学校で友達が少ないといった程度のありふれたものだ。もちろん、それが悪いわけではない。僕は好きじゃないが、こうした動機を設定することで「共感」を獲得するという表現はもちろんあっていい。しかし問題はこの動機の陳腐さが作品そのものを薄弱にしていることだ。

前述したように『SSSS．GRIDMAN』では、むしろ過剰な「燃え」を食べやすくするためのサイドディッシュ的に導入されたはずの学園パートこそが、結果的にはその価値の中心に置かれてしまっている。

アカネは単に「寂しかった」だけであり、その世界の「神」であるアカネの精神状態の悪化が怪獣を生み、主人公たちの街を破壊する。そして、アカネの更生（！）によって世界から怪獣は消滅する。しかし『SSSS．GRIDMAN』の時点ではそれでもまだ良かったのだと思う。なぜならば「怪獣」が実質的に主人公とヒロインの恋愛劇を盛り上げるための程よい非日常のエッセンスとしてのみ機能することで同作は口あたりの良い作品に仕上がっていたのだから。

そしてこの構造は『SSSS.DYNAZENON』により純化されて引き継がれる。そこでは「怪獣」とは何かという問いは最初から放棄され、実質的にただの「背景」として描かれる。悪役である「怪獣優生思想」の信奉者については、その内実を描写する意図は感じられたが、結果的に提示された描写はかなり好意的に尾ひれをつけて解釈してあげないとほとんど実質がないほど空疎だった。それでも同作が成立していたのは、前作以上にその重心が恋愛劇のほうにあったからだ。

しかし、このようにその世界を成り立たせている基本的な要素（ここでは「怪獣」）を、入れ替え可能な「背景」にしてしまったとき、そしてそのまま、続篇を重ね、物語が進行したときに物語世界に何が生じるのかをこのシリーズは過小評価していたように思う。コンプレックスの強いオタクたちを刺激しない程度に繊細なティーンの恋愛劇に程よい緩急を与えるために「怪獣のいる」世界において、「怪獣」という存在が別に災害でも彗星の落下でも良いものに実質的に記号化されてしまったとき、そこに何が起きるのかを、あまり考えていなかったように見えるのだ。

同シリーズの構造を一言で表現すれば、一緒に吊橋を渡らなければ関係性に変化の訪れなくなった（付き合う前なのに）倦怠期になってしまったような固着化したカップルの関係性を、実質的には「どうでもよくなった」世界の謎（怪獣）が定期的に出現して程よく刺激する構造、ということになるだろう。

同作が意図する視聴者にストレスを与えないことに特化した微温的な恋愛劇は、それ自体で物語を生むことができない。起伏のある物語を伴った恋愛劇の与えるストレスは、この微温的な、誰も傷つけない世界を破壊してしまう。だから主人公とヒロインの関係性の変化には外部の刺激（怪獣）が必要とされる。しかしこの怪獣は単に「外部（非日常性）」の記号で、内実がない。

言ってみれば付き合う前に倦怠期に陥ったカップルに刺激を与えるためだけに、怪獣は出現し続けなければいけないのだ。このとき怪獣の内実は問われない。その結果として、作者たちは「質」ではなく「量」に頼ったドラマツルギーと演出を採用せざるを得なくなる。こうして3作目である『グリッドマン　ユニバース』ではトリガーの本流の自己目的化した「燃え」のインフレーションが導入されることになる。こうして僕たちはトリガーの本流（体育祭）ではなく、傍流（文化祭）のテイストを求めていたはずなのに……という違和感を抱えながら劇場を後にすることになる（少なくとも僕はそうだった）。

こうして考えたとき、やはりこの世界の「怪獣」にはもう少し内実が必要だったように思う。孤独な人間の疎外感の比喩としての怪獣、というのはありふれたモチーフだ。昭和のウルトラマンの一部や、平成『ガメラ3』にも用いられていたものだ。それは別に構わない。しかし残念ながら『SSSS．GRIDMAN』が後発な分、先行する作品の成果を経て、洗練されていたとは思えない。

僕は思う。「怪獣優生思想」が、もっとこのシリーズには「本気」で必要だったのではないか。残念ながら、この作品には本当に怪獣を、圧倒的な破壊をもたらす未知の生物を必要としている登場人物はひとりもいない。涼宮ハルヒあたりと同じでアカネは単に寂しかっただけだ。だから彼女はこの映画で、友人たちとボランティアで川の清掃に参加していたりする。彼女の孤独はこの程度のことで埋められるものだったのだ。ちなみに多くの特撮映画にも参加し、現代を代表する造形師である竹谷隆之はときおりアカネが清掃するような河原に出かけ、そこで拾ってきた「ゴミ」をその造形に生かしているという。アカネがもし本当に「怪獣」という異質なものを求めていたら、そこでゴミ拾いなどしているはずがないのだ。そしてそのアカネの精神的後継者である怪獣優生思想の信奉者たちの描写は希薄で、切実に怪獣を欲していたとは考えにくく、仮にそうだという設定だとしても説得力のある表現にもなっていない。それもそのはずで、このシリーズにおける怪獣は、徹底して「記号」でしかないからだ。

しかし僕は思う。怪獣とは、その程度のものだったのか。怪獣のような巨大な、未知の、ときに崇高で、ときに恐ろしく、そして愛嬌のある存在のもたらす圧倒的な破壊だけが表現できるものを、特撮というこの国の映像文化は獲得したはずではなかったか。だからこそたとえば「平成ガメラ」シリーズは、あるいは『シン・ゴジラ』は怪獣が何を比喩しているか、から作り直した。そうすることで、その時代ごとの怪獣という虚構の存在としてしか描けないものを手探りで摑みだす行為に挑戦した。そういう挑戦を、この『SSSS.GRIDMAN』にはじまるシリーズは意図的に放棄した。しかしその結果、自壊したのだ。

ちなみに未見の人はぜひ『帰ってきたウルトラマン』の第33話を観てほしい。それはアカネのように孤独を抱える少年と、彼と交流したひとりの「怪獣使い」の物語だ。30分に満たない映像だけれど、「怪獣」というものを通してしか描けなかったものとは何か。そのひとつの好例がそこには存在している。

7. 『BLUE GIANT』と「体験」の問題

ようやく『BLUE GIANT』を観てきた。ドルビーアトモスを備えた劇場まで足を運び、贅沢な時間を堪能してきた。これは少し寂しいことだが、もはや現代人が劇場に足を運ぶ理由はリッチな画を観るかリッチな音を聴くか、くらいしかなくなりつつある。ぶっちゃけ新作映画を（内容次第では）都度2000円払ってもよいから自宅のテレビ（アマゾンプライムビデオとかネットフリックスとか）で観たいと思っているユーザーはかなりの割合に上っているはずだ（僕もそうだ）。本作はこのような時代背景のもとに出現した国産のアニメ映画、とひとまずは位置づけることができるだろう。そしてその上で本作は、現時点の手描き2Dアニメーションと音楽との組み合わせで何かできるのか、どこまでやれるのかを（そのポテンシャルも含めて）示した作品なのもたぶん間違いではないだろう。

同作を『ONE PIECE FILM RED』あたりと並べてハリウッドの音楽映画のトレンドがようやく日本のアニメにも波及しはじめたと考えることもできるが、その際はこの国内の展開がニコニコ動画などのMAD動画の文化、そして『マクロスF』あたりからのテレビアニメのMV風の演出の流れの総決算でもあったことには留意が必要だろう。その上で、この『BLUE GIANT』はこのような流れとは少し距離を置いて、純粋にジャズの演奏と今の日本のアニメーションとのセッションでどこまでやれるか、を追求したものだと考えればいい。そしてその試みは半ば成功した、という表現が妥当だろう。

本作についてはクライマックスの「JASS」の最後のライブに顕著にみられるように、手描きアニメーションと視覚効果を用いてジャズの即興性をエモーショナルに視覚化する、という試みは一定の成果を上げているのは間違いない。これはたとえば『涼宮ハルヒの憂鬱』の学園祭バンド演奏シーンにおける「指がぬるぬる動く」快楽の提供とはまったく別のものだ。『涼宮ハルヒの憂鬱』でのそれが「演奏する」というシチュエーションと音楽そのものの力を借りて、絵が動く快楽を最大化する試みだったとするのなら、『BLUE GIANT』の試みでは絵と音の力関係はかなり「音」側に寄っている。むしろリッチな「音」を聴く快楽のために絵が奉仕していて、贔屓目に見てもそのパワーバランスは対等に近い。本作は、このように手描き2Dアニメーションが音楽に対してこのようなかかわり方ができることを証明したという意味で、重要な一作になるだろう。

その反面、失敗しているのは明らかに3DCGのパートで、これは単純に貧相なつくりでそれを逆手に取ったアクロバティックな演出もなく、ただ気持ちが冷めてしまった。これは思い切って、サンクコストに惑わされず「不採用」にする決断が必要だったと思う。

しかし、本題はここからだ。

僕がこの作品を観て考えたのは、上記のような観れば（聴けば）分かるようなことではない。それは「物語」の問題だ。この映画のライブシーンでは、観客が主人公たちの演奏に感動するさまが反復して挿入される。それも顔のアップで目をうるませているといった類のものがやたらと反復される。これは作画リソースの削減なのかもしれないが、同時に僕には「自信のなさ」の現れのようにも思えた。本来ならばこのライブシーンは画と音の力で（実際に映画を見ている現実の）観客を圧倒しなければいけない。作中のライブの観客のリアクションは本来は不要で、物語的にどうしても拾わなければいけないのであれば、それはライブの後に主人公たちに観客が感想を述べる形にしてもいいし、回想として処理しても良い。実際にライブ中に観客のリアクションに尺を割くのは、映画館に来ている現実の観客の感情を誘導するためだ。これは素晴らしい、感動に値する演奏なのだと誘導するためだ。まるで、画力に自信のないマンガ家が演技の踊りの素晴らしさをその画で読者に伝えるのではなく、それを目にした別の登場人物のセリフ（「マヤ……おそろしい子！」とか）で表現するように。

原作のマンガという表現はその性質上、「音」そのものを描くことはできない。したがって、どうしてもその物語の軸足は主人公たちの青春を描くことにある程度置かざるを得なくなる。しかしアニメは違う。そこには実際の「音」がある。そのことの意味を、この映画の制作陣は結果的にかもしれないが過小評価してしまったのではないか。僕は別に物語を置き去りにして、ライブの描写に集中するべきだと述べているのではない。むしろ逆で、演奏「していない」シーンではしっかりと物語を展開しながらも、ライブにおいては可能な限り演奏そのものに力点を置き画と音に総て語らせる、そしてそうすることで物語の進行そのものは止まるにもかかわらず（いや、止まるからこそ）観客の感情をより一層盛り上げる、という効果が発生してはじめてこの映画のコンセプトは活きるように思うのだ。

このような時代において、本作のようなかたちで劇場に足を運ぶことの価値を提供するタイプの国産アニメ映画も増えていくのかもしれない。だからこそ、制作陣はその価値の生み出されるメカニズムに対して、自覚的であってほしい。それだけで劇場で劇映画を観るという体験は観客にとってずっと充実したものになるはずだからだ。

8.『First Love 初恋』と「90年代」の問題

少し前になるが、『First Love 初恋』を一気見した。僕は主演の佐藤健と満島ひかりの割とそのキャリアの初期からのファンで、配信を楽しみに待っていた。さらに言えば、僕は登場人物たちの設定とほぼ同年代で、同じように90年代に北海道で10代を過ごしている。なので、いろいろ感情移入しやすい要素も揃っていて、最後まで楽しく見終えた。蛇足ではないかと指摘されている最終話も、僕はいい意味で夢のあるエピローグで良かったように思う。そもそも本作はリアリズムから距離を置いたファンタジーであり、ファンタジーとしての完結にはあのエピローグが必要だからだ。

しかし今回はそれとは別の観点で、この作品を観て引っかかったこと、考えたことを書いてみたい。それはさすがに子役が似てなさ過ぎるとか、旭川と札幌と小樽を登場人物たちがカジュアルに行き来し過ぎている（北海道の広さを舐めんなよ）とか、そういうことじゃなくて、もっとこの作品が前提にしている「J-POP的な」（と僕のようなオタクには感じてしまう）世界観の問題なのだ。

まず、この作品の内容を簡単に説明しよう。主人公の晴道と也英は北海道の寒村（女満別周辺）の高校の同級生で、やがて恋人になる。高校卒業後、晴道はパイロットを目指して航空自衛隊に入隊し、也英はCAを夢見て東京の有名大学に進学する。住む世界が離れた2人はすれ違い、加えて也英は交通事故で記憶喪失になる。完全にこの数年のことを忘れた也英は晴道のことも忘れ、そしてそのまま主治医の脳外科医と結婚する。一人息子（ユヅル）を出産後、夫婦仲と義母との関係は悪化し也英は離婚、実家に戻る。学歴も職歴もない也英は社会の最底辺に転落し、経済的に行き詰まって息子の親権も手放す。夢も子供も失った也英は、せめて息子の近くに暮らすために札幌でタクシードライバーをはじめる。そこで自衛隊を怪我で辞め、警備員で糊口をしのぎながら無気力な人生を送る晴道と再会する。也英はまったく晴道のことを思い出せないが、元カレであることを隠してアプローチしてくる晴道に惹かれていく……というのが中盤までのあらすじだ。

僕がこの作品に（前提として、よくできた作品だと評価しながらも）感じる「引っかかり」、それは端的に言えばその「90年代臭さ」と、「J‐POP」っぽさの問題だ。これは自分でいうのもなんだけれど、どうしようもない難癖だ。アイスクリームを食べて「冷たい」とか「甘い」とか文句を言っているようなものだと思う。しかも、お代わりして2個食べたのに。しかし、たっぷり食べて、ある程度満足したからこそ言いたくなることもあるのが人間だ（だからそう思って読んでほしい）。宇多田ヒカルの同名の楽曲にインスパイアされたという本作はまさに「J-POP」的、「90年代的」な世界観に基づいて描かれている。

レコードとラジオ・テレビによって人々に共有されていた「歌謡曲」が、CDと通信カラオケによって共有される「J-POP」に変質したとき、その物語的な機能もまた社会の無意識を歌うもの（他人の物語）から、「これって私」と自己確認するためのもの（自分の物語）に変化した。街中でふと目にして、時代の気分を確認するためのものから、カラオケで目をつぶって歌い自己像をアピールするものに変化した。そしてこの変化が起きた90年代は「社会を変える」ことよりも「自分を変える」ことの方に圧倒的リアリティがあった時代でもあったのだ。その結果として、「J-POP」的世界は主に個人の夢と恋愛の問題が今思えば異様に肥大することになった。

ここに登場するヒーローとヒロインには夢がある。そして運命の恋人がいる。この作品の世界は究極的にはこの2つの要素だけでできている。夢と恋愛。この2つが人間を決定的に支え、その価値の中心を支えている。しかし、僕は思う。人間は夢と恋愛だけで生きているのではない。むしろこういったものがないと生きていけないと思わなくて済んだからこそ、僕のような人間は生きてこれたところがあるのだ。

ここで僕自身のことを少し書く。僕は晴道と也英と同じように北海道の高校生だった。通っていたのは、函館の小さなミッション・スクールだ。男子校の寮に入っていた。そこは一言でいうと少年マンガの、それもギャグマンガの変態バトル的なものが日常化した世界だった。キモければキモいほど、奇妙なリスペクトを集める社会がそこには形成されていた。そこでは教師の言うことを真に受けて東京で夢を追いかけると公言してはばからない生徒は自分の頭でものを考えることのできないBAKAとして軽蔑されていた。そして女子という生き物とはそもそもまったく接触が存在しなかった。僕が高校時代まともに会話した女性は、家族を除けば3人の寮母さんたちだけだ。その平均年齢60歳を超えていた寮母さんたちを、僕らは「寮婆」と呼び、さらにガイコツ・水牛・こけしというあだ名を付けていた。本当に、本当にお世話になったのに失礼なことをしていたと思う。この場を借りて心から謝りたい。しかしここで重要なのは当時の僕たちが本当にどうしようもない人間だったことではなく、この『First Love 初恋』の中で人間にとっての中心的な価値だとされている「夢」と「恋愛」の2つから、僕たち函館L高校（仮）の生徒たちは決定的に切断されていたということなのだ。

『First Love 初恋』の初回では屋上でタバコを吸っていた晴道が、同級生の他の男子に也英が告白されるところを偶然目にしてしまうところから2人の交際がはじまる。僕にも同じような屋上の思い出がある。ある夜、歯磨きをしながら友人となんとなく寮の屋上に登ったら、同級生のK君がなぜかひとり月夜に照らされながら全裸で踊り狂っていた。僕と友人はブラッシングの手を止めることなくそのまま無言で屋上の扉を閉め、階段を降りてその場を去った。これが世界の果て、L高校寮の「日常」だ。たまたま屋上というキーワードがかぶったので思い出したが、特に珍しい出来事ではない。K君はよくこういうことをする奴で、当時はもう3年生だったので、まあKならこれくらいのことはするだろう、としか思わなかった。今思えば、日々の変態バトルの中で感覚が完全に麻痺していた。しかしこれが僕たちの現実であり、90年代だったのだ。

まったく『First Love 初恋』の話をしていないような気がするが、要するに何が言いたいのかというと、この作品のような、宇多田ヒカル的な、90年代後半的な、J-POP的な世界にはどこにも、僕たちの居場所はなかったということだ。そしてこの「狭さ」こそが、すべてが個人的な自己実現（夢）と恋愛に回収されることこそが、『First Love 初恋』の世界観の魅力の源泉でもあり、そしてある種の貧しさでもある。たとえば、この世界には間違いなく「世界を変える」という発想がない。物語内で都会のチャラい大学生が高卒自衛官をバカにするとき、このエピソードは晴道と也英の2人の精神的な距離が離れてしまったことを表現するためにだけ用いられ、そんな社会は間違っているのだというメッセージには結びつかない。間違っているのは自分ではない、世界の方だと考える人間が、この作品にはひとりも存在していない。これが、良くも悪くも90年代的で、J-POP的なイデオロギーなのだ。

しかし21世紀を生きる僕たちは知っている。むしろ世界の本当の怖さは、個人の自意識の問題なんて無関係なシステムとして駆動しているところにあるのだと。そして、世界はむしろやり方次第ではあっさりと変わってしまうからこそ、頭の痛い問題があちらこちらで噴出しまくっていることも。あれから20年経って、世界は逆転した。個人の夢と恋愛だけを考えている人は昔ほど支配的ではない。少なくとも、ある程度の年齢（社会に出る年齢）の人間が結婚して、家を建てて、子供をいい学校に入れて——とか、そこまで俗じゃなくても個人の自己実現と恋愛ばかり考えて世界のことを考えられないとしたらやはりＢＡＫＡだと思われるだろう。

そう、夢と恋愛、自分と恋人（家族）のことだけを考えていればよかった（もちろん、戦後文化史的に言えば、革命もバブルも弾け飛んで、ハルマゲドンも起きそうにないと分かったとき、これくらいしか残らなかったのだ）90年代は遠い過去のものになり、むしろちゃんとそんな世界に違和感を抱いていた僕たちのほうが（ある意味では）マジョリティになってしまっている。しかし、あの頃は確実に「世間（僕の嫌いな言葉だ）」では世界が変わらないことを前提に、夢と恋愛のことだけを考えて生きるのが「普通（これも僕が嫌いな言葉だ)」だった。『Ｆｉｒｓｔ Ｌｏｖｅ 初恋』には、そんな過ぎ去りし90年代が凝縮されている。晴道と也英は、この21世紀を90年代のメンタリティのまま生きている。夢と恋愛のことだけを考えて生きていて、社会が間違っているとか世界を変えるなんて想像すらしない。僕はそんな90年代的な、Ｊ-ＰＯＰ的な「世間」が嫌いだった。僕は彼らとは、すごく遠い世界を生きていた。実際に僕がこの20年の間にどこかで晴道や也英と出会っていたら、まったく話が合わなかったと思う。彼らは僕のようなオタクを、自分が主役の舞台のモブとしかとらえなかっただろうし、僕も彼らに対し「愚民は死ね」くらいの感情しか抱かなかっただろう(田舎のひねくれたオタクなんて、そんなもんだ)。しかし、あれから20年と少しの時間が経って、僕は彼らを心のどこかで愛おしく思っている。それはたしかに、安直で、愚かで、薄っぺらい時代のモードだったのかもしれない。しかしそんなモードだけがたどり着くことができた、イノセントなものが存在したことも疑いようがない。当時の僕はやっかみが邪魔してその存在を認めようとしなかったが、この時代になって、この年齢になって振り返るとそれがよく分かる。『Ｆｉｒｓｔ Ｌｏｖｅ 初恋』はそのことを思い出させてくれた作品だった。

9.『機動戦士ガンダム 水星の魔女』と「箱庭」の問題

先日第1シーズンが完結した『機動戦士ガンダム 水星の魔女』についてはやはり一言、書いておきたい。これはおそろしく「よくできた」作品だと僕は思うし、個人的にも毎週放送を楽しく観ていた。最初は興味が持てなかったプラモデルもだんだんと欲しくなって、今は3月の主役機ガンダム・エアリアルの改修型の発売を楽しみにしている。

しかし、その一方でこうした作り方が「正解」になってしまう今日の情報環境とこの国のアニメーションの想像力の関係については、別の次元で考えさせられることが多々あった。今日は、そのことを書いていきたい。

まずはこの『水星の魔女』の位置づけを簡単に試みたい。『水星の魔女』はその企画の発表時点から、「ガンダム」シリーズ初の女性が主人公になる作品として押し出されていた。それは女性の視聴者に向けたものという意味ではない。『新機動戦記ガンダムW《ウイング》』（1995〜96）以降、特にテレビシリーズでは女性の視聴者を想定し、美少年キャラクターを前面に押し出した「ガンダム」は珍しくない。今回の『水星の魔女』はその逆で、むしろ地上波の深夜帯や動画プラットフォームでのインターネット配信作品に多い、成年男性をターゲットとして意識した作品であることはヒロインのキャラクターデザインから一目瞭然だろう。そして、ここがポイントなのだが、この場合の成年男性というのは、「相対的に若い」成年男性だ。つまり、少年の日に一年戦争を生き延びて、大人になりきれない時期にグリプス戦役で「刻の涙」を見て、シャアの反乱にもはや少年ではない自分を突きつけられ、気がついたらバナージのような年上の説教を涙目で聞いてくれる素直な、そして無教育で現場に放り込んでもバリバリ仕事もできる即戦力（ニュータイプ）新入社員の部下が欲しいとため息をつく（下手したら孫もいる）「おじさん」たち……「ではない」のだ。

ここで想定されているのは、明らかに若い視聴者たちだ。それも、その中心にあるのは主題歌を担当したＹＯＡＳＯＢＩという固有名詞の象徴する若い世代だ。ロボットアニメとは明らかに重工業とモータリゼーションの時代である20世紀という時代の産物であり、そもそも「パイロット」という機械を操縦する職業が成立するのも、人類史の間でほんの一瞬（この100年ちょっとの間）になることがほぼ確定している。要するに、時代は日本的な「操縦するロボット」を描くアニメーションを生み出した土壌そのものを過去のものにしつつある。ロボットを操縦するという身体拡張の快楽とアニメーションという表現の相性の良さは既に歴史が証明しているのだが、そもそもその前提となっていた機械を操縦することに対する人間の欲望が、徐々にこの社会から後退しはじめているのだ。

制作陣がここまで具体的に言語化して考えていたかは分からない（ちなみに個人的に知っているが、設定考証の白土晴一はこのようなことをよく考えるタイプの人だ）が、この作品は「ガンダム」というブランドを最大限に活用して、放っておけば衰微する他ない日本的ロボットアニメを延命させることを意図していたことは明らかだ。具体的には、「学園モノ」との融合によってそれは試みられる。

『水星の魔女』の第1話は、脚本担当の大河内一桜がかつてノベライズを担当した『少女革命ウテナ』のオマージュではじまる。『ウテナ』における「学園」とは、思春期じみた自意識の問題「だけ」が存在する箱庭として描かれる。その自意識の問題のみに純化された世界の中ではじめて許された美学のようなものを、その儚さも含めてアニメーションで表現したのが『ウテナ』であったことを思い出せばこの『水星の魔女』に与えられた構図は理解しやすくなるだろう。要するに学園という箱庭はいずれ外の世界に出るためにこそ設定されているもので（『ウテナ』の結末もヒロインたちが、学園＝箱庭の外の世界に旅立つというものだった）、そしてその外部とは、従来の「ガンダム」シリーズの大半が描いてきた「戦争」に他ならない。

こうして考えてみると第1シーズンの結末は必然的なものだ。学園のはぐれものたち（出身地的なマイノリティ）で集まって学生起業を試みるヒロインと仲間たちが、そのビジネスで訪れたスペースコロニーでテロに遭遇する。そこで母親（たぶん物語全体の「黒幕」と思われる）の教え通り、テロリストを躊躇いなく殺害するヒロイン（スレッタ）の姿に、もうひとりのヒロイン（ミオリネ）が決定的な違和感を表明したところで第1シーズンは終わり、3カ月後の第2シーズンへと続くことになる。これはSNS上の話題作りを意識した（良くも悪くも巧妙な）クリフハンガーであり、そしてこの作品のコンセプトをよく表現している。「戦争（従来の「ガンダム」シリーズ）」を知らない今どきの子供たち（10〜30代）に、「学園もの」を、それも現代的なタイムラインの沸かせ方を心得た展開で見せ、そして心を摑んだ上で本来のフィールドに引きずり出す、というのが『水星の魔女』のコンセプトであり、それが端的に現れているのが話題の最終回のCパート（前述の展開）だと考えればいい。

この非常に考え抜かれた見せ方に僕も感心しながら観ていたが、ここで、2つ疑問を呈したい。

『水星の魔女』のクリフハンガーの巧さは、大河内がかつて脚本を担当した『コードギアス反逆のルルーシュ』を踏襲したものと考えればいい。テロや虐殺という、深刻なモチーフを含む超展開の「あり得なさ」をネタ的に楽しむSNS上でのコミュニケーションに即した形態に落とし込み「安全に痛い」ブラックジョーク的に処理させること――それがアニメーションという虚構性が高い表現と相性が良いことを証明したのが『コードギアス』で、『水星の魔女』もその延長につくられている。

しかしこの「安全な痛さ」こそが、マンガやアニメで反復して描かれる「学園モノ」とはまた異なった意味での「箱庭」を生むことは明らかだ。『コードギアス』第1シーズンの終盤で描かれた「血染めのユフィ」事件は、『水星の魔女』第1シーズン最終回の展開の原型として各所で指摘されている。しかしこのネタ化した超展開によって「虐殺」というものを描く手法は、果たして本当に誰かを傷つけることができただろうか。あるいは、人間がゴミのように処分されることに対する人間の後ろ暗い悦び、つまり「ガンダム」シリーズで言えば富野由悠季の描く悪役たち（ギレン、シャア、ハマーン、シロッコ、鉄仮面など）が取り憑かれたように反復するあの感情を表現できていたか。たぶん、どちらもできていない。この作品は最後の最後であらゆることをネタ化して、いじり合う2010年前後の初期ニコニコ動画あたりを頂点とするこの国のオタクたちの、インターネット上の「空気」を共有していた「箱庭」の内部に留まってしまったように僕には思うのだ。これが、1つ目の疑問だ。

『Z《ゼータ》ガンダム』の最終回でカミーユが発狂したとき、『Vガンダム』の後半にカテジナがいろいろな意味でおかしくなったとき、それらはネタ的に消化されながらも、どこかで確実に視聴者を傷つけていた。もちろん、今回の『水星の魔女』の第1シーズンの最終回も、ピュアに見ている高学年の小学生や中学生たちは本当に傷ついて、スレッタとミオリネに早く和解してほしいと願いながら第2シーズンを心待ちにしているのかもしれない。しかし、この大人たちのネタ消費とそれを意識した超展開に頼り過ぎたこの作劇において、その視聴者を傷つける力がどれほど威力を発揮するか、僕にはやはり疑問だ。それはたぶん、学園という箱庭から戦争のある世界に視聴者を引きずり出すことができてしまうのがアニメーションという表現の力なのだと証明すること以上に、タイムラインの閉じた別の箱庭の中に視聴者を閉じ込めてしまう効果を生むのではないかと思う。

そしてそれが商業的には「勝ち筋」だというのも、よく分かる。しかし、ほんの少しの匙加減でこの作品は本当に視聴者を後ろから深く「刺す」ことができたのではないか、とも思うのだ。本当に「刺す」と視聴者が不愉快に感じて離れていく、という話もよく分かる。しかし、その不愉快さを含めて快楽にしてしまうのが、表現の力だと僕は思うのだ。

そしてもう1つ。このSNS上のコミュニケーションを意識した超展開とクリフハンガーの多用の背景には、アニメーションという表現の課題の喪失があるように思える。この問題が前面化しているのがむしろ第1話で、僕は初見の際に前述の『ウテナ』オマージュ以外には、特にアニメーションという表現として特徴らしい特徴のない作品だと感じていた。

初代の『機動戦士ガンダム』は「アニメーションという表現を用いて、架空の未来世界をその社会も含めて精緻に仮構して、表現する」ことなどを筆頭に、いくつかの画期的な表現の課題を設定し、それをクリアしたエポックメイキングだった。そして、40年以上の時間を経て「ガンダム」の名前を冠した作品はいま、「アニメーションにできること」を広げるというよりは、既に僕たちの知っている異なる2つ以上のアニメーションの分野をつなげることに腐心している。僕はそれが無価値なことだとは考えない。自意識と承認の問題が肥大してしまう等身大の日常から、政治経済や技術といったメカニズムによって歴史が動く非日常への接続方法を間違えた結果として、ヒーリング的に毎日敵対勢力へ罵倒を投稿し、その快楽を後押しするテキストと動画の消費に明け暮れている人々がたくさんいる。そして政治的にも経済的にも動員されやすいこの種の人々の声が必要以上にピックアップされがちな世界に、僕たちは生きている。この2つの世界の「つなぎ方」を描くことには、極めて現代的な、大きな意味があると思うのだ。

たしかにそれは、草創期、発展期のアニメーションのように表現の可能性を開拓するものではない。しかし、成熟期に入った表現だからこそできることがある。『水星の魔女』はそれを達成するだけの高いポテンシャルを秘めているように思う。だからこそ、第2シーズン以降は、その卓越したネタ的な消費への対応術に、超展開やクリフハンガーの使い方に溺れないでほしいし、どこかでこの計算されつくした「安全な痛さ」を自ら突き破ってほしいと思うのだ。

10.『THE FIRST SLAM DUNK』と「物語」の問題

少し前のことになるが『THE FIRST SLAM DUNK』を観てきた。

結論から述べてしまえば、この作品はその表現の技法においてこの国のアニメ史にとって大きな達成になるように思う。そして、というか「だからこそ」この映画の物語面、つまり原作マンガのクライマックスである「山王戦」を再構成した宮城リョータの物語（の扱い）には2020年代の今日における「劇映画」という表現が直面している困難が露呈しているようにも思えるのだ。

前提として、この映画の達成についてまとめておこう。

そもそも井上雄彦による原作マンガの『SLAM DUNK』とは、90年代前半の「週刊少年ジャンプ」の黄金期を支えた作品（そしてその終了が、90年代後半の停滞期のはじまりを象徴する作品）であると同時に、スポーツマンガというか、マンガにおけるアクションの表現史にとって重要な作品だったはずだ。

僕はこの分野の表現史に明るくないので、厳密なルーツや影響関係については言及できないが、この作品が作品そのものの大ヒットのために「極めて大きな影響」をその後の表現に与えたことは間違いない。

それは要するに、マンガのコマ割りを用いてバスケットボールのコートで起きている一瞬の出来事、選手たちの体験を実際のそれよりも細かく分解してその過程を丁寧に見せる、という手法だ。連載当時から、井上は数秒の出来事を何ページもかけて描いていると冗談めかして読者に語られていたはずだが、それは実のところこの『SLAM DUNK』というマンガの魅力と、その後の作品に与えた影響の本質を表している（繰り返すが、ここで僕が述べているのは影響の「大きさ」で、実際の手法の開発者が誰かとか、この技法のルーツの話はしていない）。

今日となってはそれほど珍しくない手法かもしれないが、『SLAM DUNK』でマンガにはこのような表現ができることを知った当時の若者は多かったはずだ。

そして、この映画『THE FIRST SLAM DUNK』は、基本的にアニメーションで90年代前半に井上がマンガでやったことをどう再現するのかという課題に挑戦していると考えればいいだろう。

今回の『THE FIRST SLAM DUNK』とかつて『SLAM DUNK』の知名度を更に引き上げたテレビアニメ版（1993年放映開始）とを比べてみれば明らかだが、

かつてのテレビアニメ版は明らかに井上の描くマンガ版の臨場感を再現していない。

しかし、今回の『THE FIRST SLAM DUNK』は、マンガ版とは根本的に異なる手法で――具体的には2Dルックの3Dアニメーションを用いた手法で――それに「近い」(しかし実のところまったく別物の新しい)体験を観客に与える表現を構築することに成功している。

言い換えればこの『THE FIRST SLAM DUNK』は従来の劇映画の表現(その世界で起きたことが平面に整理されて「象徴的に」観客に提示される)に、「実際にそこで起きたことの一部が平面の表現に置き直すことで分解的に抽出され、観客に提示される」という別のタイプの表現を組み込む、という実験をやっていて、その結果が観客にかなり強い没入と中毒的な快楽を引き起こすレベルに達しているのだ。

それが具体的にどう実現されていったかは井上らスタッフのインタビューや制作過程を紹介したムック*が発売中なので、それを参照してもらいたいのだが、ここで重要なのはこの数年以上に及ぶ制作期間のかなりの部分が手法そのものの開発に捧げられていたことだ。

そしてここからがある意味本題なのだが、この映画における「物語」の添え物的な役割の

＊『THE FIRST SLAM DUNK re:SOURCE』(集英社)

問題がここで浮上する。この映画では、原作にはない宮城リョータの過去をめぐる物語が描かれる。これは原作のクライマックスである「山王戦」だけを切り出して描きつつ、かつ、原作を未読の人間が観ても理解できる物語にするために採用されたものだろう。その内容は、リョータの死んだ兄がインターハイで山王高校の打倒を夢見ていた、といったありふれたパターンに則ったもので、特筆すべきものは何もない。そしてこの「何もなさ」こそがこの映画の達成を逆に表しているように僕には思えるのだ。

この新たに語られたリョータの物語は、言ってみればお茶や炭酸水を飲みやすくするために与えられた最低限の甘みのようなもので、それ以上の意味はない。井上以下の制作者はそうは考えていないだろうが、実際にそうとしか機能していない（こういうテンプレートに機械的に反応して泣く人のほうが、この規模のヒット作には多いだろうが……）。そして、この映画はそれでまんまと成立してしまっている。宮城リョータという便宜的な主人公と、彼に対する感情移入のフックになる、こう言ってしまえばなんだが「安易な」（しかし、分かりやすい）物語があることによって、この新しい刺激を与える表現はスムーズに観客を没入に導くことができるようになっている。

映画がまだ魔法的な新技術だったころ（それは恐ろしいほど短い時間だったのだが）、人間は工場の出口から人が出てくるだけで（写真が「動く」だけで）、それに驚き、感動したという。この『THE FIRST SLAM DUNK』がこの程度の物語しか必要としなかったことの意味はここにある。

それはつまり、この国のマンガ表現には劇映画という制度そのものを解体し、アップデートするポテンシャルがあるということだ。しかも、その手法はかなりユニークだ。たとえば『トップガン マーヴェリック』のドッグファイトの撮影にはもちろん、大きな創意工夫と莫大な予算が投じられているが、やはりそれは私たちが既に知っているタイプの映像による既に経験したことのある没入感だ。しかし、『THE FIRST SLAM DUNK』のそれは確実に「新しい」。

手塚治虫が「劇映画のようなマンガを描きたい」と考えて、現在のコマ割りを駆使したストーリーマンガを確立してから半世紀以上が経ったいま、大げさに言えばこの国のマンガ表現の進化を手がかりに、今度は劇映画の側がアップデートされつつあるのだと思う。

おそらく昨2022年は東映動画の存在感が示された1年として記憶されるだろう。夏には『ONE PIECE FILM RED』が公開されている。これは、この10年を席巻した世界的な音楽映画の潮流と、深夜アニメからニコニコ動画のMAD動画までを席巻したこの国のアニメーションのMV的な想像力を『ONE PIECE』というビッグタイトルの中に回収し、「まとめた」総決算的な作品として位置づけることができるだろう。

そして、この『THE FIRST SLAM DUNK』は日本のマンガ表現の中に、劇映画という表現そのもののアップデートすら射程に入るポテンシャルがあることを証明した作品になった。過去の総決算と未来への可能性を、東映動画はこの2つの映画で示したのだ。特に『THE FIRST SLAM DUNK』の技法については今後どのような発展を示すのかまったく未知数なのだが、大きな可能性があることは間違いないだろう。もちろん、そこにはこの国の戦後文化の鬼子であるマンガやアニメといった表現が、少なくともかつての延長線上には描くべき物語を失いつつあるという別の問題も存在する。

井上雄彦が『SLAM DUNK』を主人公の怪我とインターハイ篇の事実上の中断で終了させてから四半世紀、彼の描く物語は過剰に自分の強さを自己暗示的に言い聞かせる主人公（『バガボンド』）と、逆に自分の強さを見失い社会にエントリーし直すところから再出発する主人公（『リアル』）に分裂し、そしてどちらの物語も完結していない。『SLAM DUNK』とは今思えば主人公がバスケットボールというゲームの快楽を知る過程と、内面的な成長とが完全に重なり合った幸福な数カ月を描いた作品だった。しかし、井上はその幸福な時代の先を描けなかった。そして2022年の今日、2つに分裂した物語はどちらも完結せずに放置され、そして井上の手がけた新しい表現には、飲みものを飲みやすくするための砂糖のような、形式的で便宜的な物語が添えられている。しかしその表面的な「それっぽさ」しかない物語の奥にこそ、本当にこの作家が描くべきものがあるように僕には思えるのだ。

11.『エルピス』と「正義」の問題

2022年秋季のテレビドラマでは、僕はやはり『エルピス』をもっとも楽しみに見ていた。ただ、昨日放送された最終回には賛否が渦巻いているらしい。「巨悪」として描かれた大門副総理のスキャンダルを主人公の恵那が取引材料に用いて、かねてより追求していた冤罪事件の真相を報道する、という結末がその原因だ。批判的な人々の中には悪の根源を追及せずに、目の前の成果を勝ち取ることに苛立っているケースが多いように見受けられるが、これはおそらく作り手たちの狙い（問題提起）通りの反応だろう。その意味においても、この作品は大きく成功していると言える。

その前提の上で今回は僕なりの視点からこの作品について、多少の疑問を交えながら考えてみたい。プラットフォームに脳を侵された人々は作品を株券のように採点することしか考えられないようだけれど、本来人間と表現の関係はそのようなものではない。「みんな」で同じ作品を褒めて、「同じ」であることを確認して安心するタイプの人たちはそもそも創作物ではなくいい匂いのする棒のところにでも群がったらいいと思うのだが、まあ、いいだろう。

これから僕が記していくのは、作品から得たものから展開する思考の開陳、つまり批評であり、作品の良し悪しに対する評価ではない。（それにしても度々このような断り書きをしないといけないのは、不幸な社会だと思う。）

さて、ここで僕がまず考えてみたいのは、この作品に漂う「ツイッターを見過ぎたような」社会観の問題だ。たぶん、この現代社会の国内政治を扱うときにはもっともポピュラリティが高くそしてもっとも安直な態度の採用が、この『エルピス』を観る上での最大のハードルになっている。問題提起的な側面の強い、つまり番組が放送されるということ自体のパフォーマティブな効果を重視した『エルピス』の制作陣は、おそらく確信犯でこの態度を選択している。しかし僕はやはり、ツイッターで加速する（山本太郎的な）左派ポピュリズムのメンタリティをそのまま踏襲してしまう（たとえば、江川紹子と望月衣塑子を足して2で割ったような登場人物を「善玉」として出す）のは、ずいぶんと作品の射程距離を短くしてしまったように思えるのだ。

誤解しないでほしいが、僕は「声を上げる」ことそのものを「どうせ体制は変わらないのだから」と冷笑する現在のツイッター論壇の（橋下徹的、ニコ論壇的、アベプラ的）右派ポピュリズムのメンタリティこそを、もっとも軽蔑している。だからこそ「きちんと」声を上げるために、声を上げること自体の快楽を用いて複雑な思考を苦手とする人々を動員する山本太郎的な手法には批判的だ。それは橋下徹と同じ手段で橋下的なものに対抗することに等しく、そもそも橋下の悪質さはその主張以上に手法にあったはずだからだ。ときに左翼的に振る舞うことを恐れてはいけない、しかし左翼的に振る舞うことを目的にしてはいけない。糸井重里は前者を、内田樹は後者を半世紀の間に忘れてしまった。しかしこれは僕たちが60年代末の世界的な左翼の敗北から学び取った最大の知恵であったと僕は思っている。

一般論の講釈はこの辺にして、本題に戻ろう。実際に第二次安倍政権は取り巻きのレイプをもみ消し、公文書を改ざんし、はっきり言ってしまえば安定政権に胡座をかき犯罪行為にすら平気に手を染めるという、少なくとも倫理面においては戦後最悪に近い政権だったことは疑いようがない。したがってこのような左派ポピュリズムのメンタリティがある程度支配的になるのも仕方がない、というのはよく分かる。ただし、「現実」においては。

僕が問題にしたいのはそのような貧しい現実をそのまま「引き写す」のが優れた創作なのだろうか、ということだ。『エルピス』の結末はビターエンドだ。作り手たちは、現実の苦さを作品の中に織り込みたかったのだろう。巨悪を倒すことは難しい。しかし、諦めてはいけない。一矢報いながらでも、地道に進むしかない。僕もそう思う。しかし、それは日々ツイッターを苦々しく眺めていれば伝わることで、渡辺あやほどの作家の創作を通じて触れる必要のないことのように僕には思えるのだ。それこそ、江川や望月の仕事の良質な部分に触れれば、十分伝わることなのではないかと思うのだ。

僕は以前、渡辺あやが脚本を執筆した『その街のこども』というテレビドラマの劇場版のパンフレットに文章を寄稿したことがある。これはNHKで制作された、阪神淡路大震災を題材にしたテレビドラマだ。震災から15年目の神戸の街で、被災の記憶を持つ男女が偶然出会い、夜通し神戸の街を歩くことになる。その歩行と会話の中で浮上するのは、人間ひとりの想像力ではその全体像を描くことは難しい巨大なもの——たとえば震災という出来事——にどうアプローチするのか、という問題だ。それは人間ひとりの想像力の手に余る。僕たちにできるのは、巨大で、複雑なものの周辺をウロウロして、手探りでその全体像の「あたり」をつけることでしかない。そして、だからこそ創作物を通じてそれにアプローチすることの、そして誰かと対話することの意味がある。

自分と同じように、手探りで巨大なものの姿を摑もうとしている誰かと対話することで、僕たちは自分の想像する輪郭を少しずつたしかなものにしていくことができる。この作業にゴールはない。どこまで行っても、僕たちはその全体を把握することはできない。それでも、人間はそこにたしかに存在する巨大なものについて考えるのを止めることはできない。僕はもう10年以上前、渡辺あやたちが創作を通じて描いたこの世界との距離感と進入角度の表明に、強い感銘を受けあの文章を記した。

そして、2022年の終わりに僕は端的に言えば『エルピス』が「正しさ」に依存した作品に、正確に言えば「正しさ」（政治的なこと）と「楽しさ」（個人的なこと）の間をさまよう作品になったことに首を傾げている。『その街のこども』の渡辺あやは答えに到達できないからこそ、手探りで対話を続けることに価値を置いていた。そしてその価値は、創作という回路を通じてはじめて表現できるものだった。

あるいは、『カーネーション』ではどうだったか。ヒロインの糸子は、戦争を通じてたくさんの大切な人を喪う。糸子の喪失、怒り、そういったものは政治的なことに回収されることはない。それは彼女に学がなく、彼女の周囲の人々の命を奪ったものが何かを理解することが難しいからではない。糸子が戦争を通じて得た感情の深さと複雑さは、そもそも政治的な言葉だけに回収することが難しい性質のものなのだ。そして終戦の日、玉音放送を聴いた糸子はすっと立ち上がり、黙々と昼食の準備をはじめるのだ。どれだけ「個人的なことは政治的なことである」というテーゼが社会の改良のために必要だとしても、「個人的なこと」にしか回収できない領域は人間の精神に存在する。その部分を描くために、渡辺はこのとき「戦争」をヒロインの人生に対峙させたのだ。

そして『エルピス』の主人公の恵那がたどり着いた結論は、正義が確定できないときはより楽しい方を選ぶこと、だ。この倫理の持ち方については、ここでは踏み込まない。しかし一般的に考えて人間は絶対的な正義の立場に立ち、絶対的な悪を裁くことはできないのだから、どこかに「落とし所」が必要になることは想像に難くない。絶対的な正義という到達不可能な地点に立たない限り批判されるべきだという原理主義的な考え方は、文化大革命や連合赤軍といった悲劇に象徴される20世紀左翼の思想的な敗北の主因だった。『エルピス』が勧善懲悪の時代劇のように、悪代官（大門）を裁く結末を選ばなかったのは、この20世紀の左翼の敗因をよく踏まえているからだ。この点においてこの物語は、ツイッターで承認を交換するゲームの中毒になり、その素材として左翼的であることを選んだ安直な人々のメンタリティとは一線を画している。その意味でも、この作品は2022年に放映されるべき作品だったと言える。

しかし、それでも『エルピス』は、この矮小な現実の重力にどこかで引きずられてしまっているように僕には思えるのだ。

恵那たちの怒りや、失望は、そして発見した希望は、たぶん熱心に検索すればツイッターのどこかに書いてある。それは既にこの世界にありふれたものなのだ。そのツイッターの投稿でシェアされたリンク先は「とはいえ体制の中で格闘している自分」を誇る報道テレビマンのフェイスブックに掲載されたナルシスティックに愚痴を綴った投稿かもしれないし、饒舌に制作意図を語るプロデューサーのインタビュー記事かもしれない。誤解しないでほしい。僕はこの作品を世に出したプロデューサー以下のスタッフはそのことをもっと世に誇ってしいはずだと考えている。僕が指摘しているのは、そういった次元とはまったく異なるレベルで、この作品は現実の重力に負けてしまっているのではないかということだ。それは渡辺あやたち制作者の問題というよりは、このあまりにも矮小で、愚かで、情けない現実の生む負の重力の問題だと思う。ここまで、この国の社会と政治がみっともないものになっていなければ、この強過ぎる負の重力は発生しなかったはずだからだ。

しかしそれでも僕は思う。少なくとも渡辺あやは、現実の人間の思考を超えた巨大なものや、永遠のものや、その逆の一瞬しかかたちを維持できない儚いものを物語の力を借りて描き出す力を持った作家なのだ。だが、その力は残念ながら今回は発揮されなかった(発揮しないことが選択された)。僕はこの『エルピス』という試みそのものには、最大限の敬意を示したいと思う。だからこそ、その到達できなかった(選択されなかった)可能性についても、しっかり指摘しておきたいと思う。

12.『silent』と「リア充」の問題

ようやく『ｓｉｌｅｎｔ』の最終回を観た。作品そのものは丁寧に構築された良作、くらいの評価でよいのではないかと思う。特に第8話の風間俊介と夏帆の演技は素晴らしかった。

しかし、ここで取り上げたいのはこの作品に終始つきまとっていた奇妙な「狭さ」のようなもので、それはもしかしたらこの国のテレビドラマ、ひいてはテレビ文化そのものの問題を象徴しているように僕には思えるのだ。

この『ｓｉｌｅｎｔ』は俗にいう「難病」ものの系譜に属する。高校時代の恋人同士が、社会人になって再会する。しかし彼氏のほう（目黒蓮演じる想）は病気で失聴しており、そのために高校時代の友人たちとは関係を絶っている。そして彼女（川口春奈演じる紬）が想のために手話を学びはじめたことをきっかけに、2人の周辺の人物を巻き込みながら三角関係などの物語が展開する。物語の展開自体は予定調和的で、特筆すべきものはない。むしろ安心して視聴できる予定調和の展開の中で、登場人物の心理をじっくり描くというコンセプトだったのだろう。しかし、僕にはこのコンセプトが特に終盤でうまく機能しなくなっていったように感じた。特に脇役である春尾（風間俊介）と奈々（夏帆）の過去を描く8話以降は消化試合のように段取りをこなしているようにしか思えず、集中して観ることが辛くなることも多々あった。厳しい見方をすれば、若手の主役たちに画面を支える力がないということになるのだろうけれど、僕はここには前述の「狭さ」の問題が象徴的に現れているように思えるのだ。

繰り返すが、この『ｓｉｌｅｎｔ』は凡百のテレビドラマよりは丁寧に、良心的につくられている。しかし、その一方で若い女性をターゲットにした恋愛ドラマはこのようなものだ、という「相場」のような「枠」からは一歩も出ていない。たとえば、このドラマには（今風の言葉を使うのなら）「リア充」な登場人物しか出てこない。主役の２人はサッカー部のエースとクラスの人気者で、クラスメートからも家族からも愛された思春期を送っている。そして、２人は終始自分が自分の人生の主役であることを疑っていない。

もしかしたら、何かの間違いで僕の文章を読んでしまった「リア充」な読者はお前は何を言っているのだ、と思うかもしれない。自分の人生の主役が自分であるなんて、当たり前のことではないか、と。しかし、そう思えない人間は世界にたくさんいる。というか人並みの繊細さがあれば人間は必ずしもそう思えない生き物であることは思春期にもなれば経験的に理解するはずだ。

しかし、この種の恋愛ドラマではときに、この前提を無視した人物造形が行なわれる。それは、ある種の快楽原則に基づいたお約束のようなものだ。助さんと格さんが印籠を出すと悪党たちは水戸黄門の前にひれ伏すように、ライダーキックを食らった怪人が3歩よろめいて爆発するように。しかし、ある一定レベルの自然主義的なリアリズムを導入すると、このような「お約束」は視聴者の感情移入を妨げてしまう。『ｓｉｌｅｎｔ』には明らかにこの問題が発生していた。本作がそれなりに真摯に向き合ったであろう障害というモチーフや、細部まで手を抜かない人物描写といったこの作品の「本気」さにおそらくは90年代の少女マンガにルーツを持つであろうこの種の恋愛ドラマの様式美は耐えられなかったのだと思う。このレベルのリアリティでろう者を抱えた家族の葛藤を描くとき、かつてのトレンディドラマから引き継いだ「お約束」を守って主人公たちが分不相応なおしゃれで「いい部屋」に暮らしていたり、（脇役のろう者以外の）主要登場人物が全員スクールカースト上位15％に入っていたりすると、物語が進行するにつれて違和感が大きくなる。リアルな部分と、リアルではない部分の食い合わせが悪くなるのだ。

そして、この問題が表面化したのが終盤の展開だ。そもそも、この『ｓｉｌｅｎｔ』という作品は物語の中盤で紬と想が復縁することが既定路線になってしまい、実質的に物語は展開を失ってしまっている。繰り返すが、この選択はジェットコースター的展開やクリフハンガーをあえて拒否して、登場人物の内面を描くための確信犯だったはずだ。しかし問題は、その主役2人の内面を描くための材料が乏し過ぎることだ。紬が障害に向き合うことの難しさに直面することも、想が過去の自分と今の自分とを比べてしまうことで陥る自己嫌悪の問題も、既に前半から中盤でかなり描写されてしまっており、終盤の展開は既に覚えた九九の暗唱を無理やりやらされているときのような退屈さを感じざるを得ないものになってしまった。この問題がもっとも表面化したのが、クライマックスの母校の教室に侵入して、紬と想が高校時代の思い出を反芻しながら、お互いの心情を黒板に書き連ねるシーンだろう。ここには事実上何の展開もない。ただ、主役2人がおそらくは企画書のパワーポイントファイルに書いてあったであろう、お互いの人物設定を確認しあっているだけだ。

要するに、この二人は物語の終盤になっても、設定書に書いてある過去の記憶を反芻する以外にやることのない（既にやることを前半で消化してしまった）登場人物なのだ。全11話のうち、約半分の5、6話分のエピソードしか持ちえない空疎なキャラクターだったのだ。もちろんこの『ｓｉｌｅｎｔ』が凡百の、今日の地上波テレビの大半の番組のように視聴者を馬鹿にしきった人気タレントがアップで映っていればいいといった類のドラマだったら逆にこうはならなかったはずだ。仮にそのように作られていたら、おそらく物語と演出の密度が3分の1くらいになった始終退屈な展開と引き換えに、しっかり最終11話までエピソードを均等に割り付け、最終3話が消化試合になるような事態は避けられただろう（それが面白かったかどうかは疑問だが……）。

しかし『ｓｉｌｅｎｔ』はよい意味で「本気」だった。主題として掲げたものを、濃い密度でしっかりと追求し、展開した。その結果として前半で事実上描くべきものを描ききってしまった。エピソードが尽きてしまったのは、登場人物の内面とそれを取り巻く社会の設定が甘く、空疎だからだ。こうしてこのドラマは「本気」な部分とは相反する甘い部分——若い女性向けの恋愛ドラマなんて「こんなものでいいだろう」という様式美に甘えた物語の枠組み——に足を引っ張られることになったのだ。

もし、『ｓｉｌｅｎｔ』がもっとリアリティの水準の高い人物造形と配置をしていたら——スクールカースト上位15％に閉じたファンタジーを拒否していたら——想と紬に関係する人物たちと彼ら彼女らの繰り広げる物語はより多様に、深くなっていたはずで、それに引きずられて紬と想の復縁の展開もより豊かなものになっただろう。最終回は卒業した高校の教室に戻って、お互いの基礎設定を読み上げて確認するような空疎な展開ではなく、東京の、大人の、複雑で生々しい社会を背景にするからこそ生まれる物語の中で、お互いを必要とする理由を確認し合えたはずだし、それは決して放送されたもののように「消化試合」を感じさせるものではなかったはずなのだ。

少し意地悪な言い方をするのならこの作品は聴力の、つまり身体的な障害を抱えたマイノリティへの視線はそれなりに真摯で温かかったのかもしれないが、コミュニケーション力に乏しい、精神的なマイノリティのことはそもそも存在しないかのように扱った。そして、前者のマイノリティは後者のマイナー性をも抱えやすい。世界にはスクールカースト上位15%のサッカー部周辺の人たちと、ろう者たちだけが生きているのではない。真剣にこの物語世界を生きている人物を描こうと思うなら、まずその制約を外さないと一定以上の水準でリアリティを確保することは難しいのだ。ある様式美を用いて描けるものと、描けないものとがある。それは自明なことだが、テレビという30年ほど時間の止まったムラの中の人々は、「若い女性向けの恋愛ドラマはこんなものでよい」といった差別的な思考停止によって、これを忘れてしまうのかもしれない。しかしこの終盤の消化試合を、「ターゲットのF1世代に好評」「数字も良かった」とだけ評価するのなら、この国のテレビドラマの未来は暗い。

13.『鎌倉殿の13人』と「悪」の問題

さて、今回取り上げるのは12月18日に完結した三谷幸喜『鎌倉殿の13人』だ。これは多くの三谷幸喜や大河ドラマのファンが口をそろえるように三谷幸喜のテレビドラマの新境地であり現時点の最高傑作なのも、大河ドラマ史においても決定的な作品になったことも間違いないだろう。僕もこの評価に異存はない。その前提の上で、三谷幸喜という作家にできることと、できないことがこれほどはっきりした作品もないだろう。今回は主にそのことについて考えてみたい。

この『鎌倉殿の13人』の最大の長所は、端的に述べれば三谷幸喜がこれまで培ってきた、シット・コムを応用した群像劇の手法で、鎌倉幕府初期の血なまぐさい粛清劇を語るというそのコンセプトにあったのではないかと思う。これが三谷幸喜が最初に手がけた大河ドラマ『新選組!』の手法をアップデートしたものだ。

シット・コムというのは、「シチュエーション・コメディ」の略だ。ラジオやテレビの連続ドラマの形式のひとつで、主に登場人物や舞台が(特定の部屋などに)固定されていて、状況設定で笑いを生むためにこう呼ぶ。日本ではアメリカのホームドラマ『フルハウス』などが有名だと思う。

このシット・コムの台詞回しや物語構成を通常のドラマに応用して、登場人物ひとりひとりに視聴者を惚れさせるのが三谷幸喜の得意技だ。さらにそれを陰惨な粛清劇に用いることで、中盤以降毎週ひとりずつ殺される登場人物の悲劇性が、より強く視聴者にアピールされるという構造がここに完成するのだ。

三谷幸喜は卓越した技術で膨大な登場人物に割り振られた短い出番の中で確実にその登場人物の、それもテンプレートに頼らずひとひねりもふたひねりもある愛らしさを描き出し、視聴者に彼ら彼女らを好きにさせてしまう。もちろん、この脚本に応える俳優や演出にも高いレベルが要求されるのだが、やはり土台は三谷の脚本によってもたらされている。ときおりやり過ぎて楽屋が、というか笑いながら撮影しているところが透けて見えるところがなくもなかった（最終回の隠岐に流される後鳥羽上皇や、反復される三浦義村の露出狂的な行動など）が、これくらいなら微笑ましく思える範疇のはずだ。

視聴者のほとんどがウィキペディアなどで史実を確認しながら観ていることを前提に、諸説のどれを取り入れ、どう創作物に昇華するかという現代に歴史ものを扱うときに欠かせない楽しみの提供についても、三谷自身が楽しみながら書いていることが伝わってくるところも含めてうまく機能していたように思う。

さて、その上で考えてみたいのが三谷幸喜という作家の限界についてだ。三谷幸喜の作品が苦手な人、というのがたまにいる。僕は中学生の頃にテレビで観た『振り返れば奴がいる』以来の三谷幸喜のファンで、特にテレビドラマは欠かさず観ているのだが、三谷を苦手にする人の言い分のようなものもよく分かる。それは要するに三谷の描く人物たちの造形が、一見とても多様なようでいてその実、ある一定の枠内に収まっていることの問題だ。それもおそらくは三谷幸喜の人間理解が淡白で浅薄なのではなく、彼が自分の描きたい物語のために全登場人物をある一定の枠内からはみ出さないように振る舞わせているのが視聴者に伝わってしまっているのだ。それが「自分はこのような世界を見せたいのだ」というメッセージとして伝わればいいのだが、「このリアリティの水準で描いているのに、このようなことを考える人物が出てこないのは不自然だ」と視聴者に思わせてしまうことがままある。これが三谷幸喜の弱点なのだ。

具体的にはまず三谷幸喜の描く作品には「魅力的ではない」人物が出てこない。もちろん、これは長所の裏返しだ。三谷幸喜の群像劇では、特にこの『鎌倉殿の13人』ではちょっとした端役すらも丁寧に造形されており、脚本的にも演出的にも演技的にも、ほぼ「魅力的ではない」登場人物がいない。しかし、それがある一定の水準のリアリティの高さを持った物語

——実際にその登場人物が、その世界を生きたと感じさせることで成立している作品——においては不自然に見えてしまうのだ。

淡白で魅力がないどころか印象そのものが乏しい人間がときに大きな役割を果たすという人間社会の基本的なリアリティを、三谷幸喜は登場人物全員に愛情を持って（それも驚くほどに高いレベルで）造形し、動かしてしまうために損なってしまうのだ。これは三谷作品の最大の長所の裏返しなので、ここでリアリティを優先すると彼の作品は色あせてしまうだろう。しかし、この点によって三谷幸喜作品に魅力を感じない人もいるのはよく理解できる。

そして第2に三谷幸喜はある程度以上、複雑な内面を抱いた人物を描くことができない（というか、おそらく正確には「しない」）。三谷作品ではほとんどの登場人物が、建前と本音の2レイヤー程度で描かれている。しかし、人間にはまず無意識があり、そして意識の段階においてもレイヤーはかなり多層になるし、当然のことだが複数の感情が同居している。しかし、三谷の作品に登場する人物は多くの場合ここが整理され過ぎた状態で視聴者の前に現れる。これは三谷がおそらく意図的に短い尺で登場人物の魅力をアピールするために行なっている操作で、実のところは裏設定的にもっと立体的な造形がなされていることが垣間見えることはままある（『鎌倉殿の13人』で顕著なのは源実朝の描写だろう）。しかし三谷は登場人物を視聴者に好きになってもらうために、実際に作中の描写ではかなりの頻度でそこを切り捨ててしまう。

あまりファン層がかぶらないので、このたとえがうまく通じるか分からないのだけれど、たとえば『機動戦士ガンダム』シリーズの富野由悠季はアニメーションという演出のコントロールが効きやすい表現の特性を生かして、複雑な内面の描写をすることを得意にしている。たとえば彼の代表作である映画『逆襲のシャア』を観ると分かりやすいが、おそらく登場人物の心理が平均して4~5レイヤーで描かれており、感情の同居の描写も非常に細やかだ。富野はこの処理によって、ロボット兵器が宇宙戦争を繰り広げるという絵空事の世界に、まるでアムロやシャアといった人物が実際にその世界を生きたかのようなリアリティを与えているのだ。

もちろん、このような複雑さを引き受けてリアリティをもたらすことだけが創作の正解ではない。これはあくまで、ひとつの手法に過ぎない。当然のことだけれど、淡白な内面しか持たない登場人物たちの物語だからこそ描くことのできる価値もある。しかし、歴史を題材に群像劇を描くときにまったくこの淡白さが気にならないかと問われると、そんなことはないと答えざるを得ないのが僕の本音だ。

その結果として、たとえば三谷幸喜は「悪」が描けない。この『鎌倉殿の13人』で言えば主人公の北条義時が仲間の粛清に明け暮れるのは体制の安定のためであり私心はなかった、という描き方は終始一貫していたし、比較的「悪役」として登場する源仲章でさえもその卑しさが愛らしさとしても描かれていた。『鎌倉殿の13人』の（主要な）登場人物はほぼ全員、なにかしらの親しみを感じられるように設計されている。それはこの作品の最大の美点でもあるが、弱点でもある。この世界には、本当に卑しいだけの存在や、ある一定のレベルを超えた「悪」が存在できない。これが三谷幸喜の最大の個性のひとつであり、そして限界なのだ。

もちろん、僕はこの弱点を踏まえた上で（当然のことだが）三谷幸喜という作家を偉大な存在だと考えているし、この『鎌倉殿の13人』は彼の最高傑作ではないかと考えている。だから、この指摘はアイスクリームを食べて「身体が温まらない」と文句を言っているように聞こえてしまうかもしれない。しかし『鎌倉殿の13人』にはこの無茶な注文（期待）にすらもしかしたら答えてしまうのではないか、と思わせるものがあった。それくらい、凄まじい作品だったのだ。

三谷幸喜が解釈し、描いた北条義時という人物と彼の物語には、三谷幸喜のこれまで培ってきた物語の魅力を損なうことなく、その限界を超えるポテンシャルがあったと僕は思う。良心的で、自身の凡庸さを理解しているからこそ状況に翻弄され過ぎてしまう三谷幸喜の描く主人公の直系として登場したあの義時が、約半世紀の激闘の中で変貌していく過程こそこの『鎌倉殿の13人』という物語の中核であり、だからこそ義時は視聴者から本当に忌み嫌われるレベルに達する可能性を、三谷幸喜が自身の世界観を守るために極めて意図的に切り捨ててきた人間の本当の卑しさや悪を、はじめてその作品世界に持ち込む可能性を秘めていたのだ。

しかし、そのポテンシャルは発揮されなかった。最終2話において、義時がまず自己犠牲を主張することでそのポテンシャルには背が向けられた。そのため、最終話のラストシーンにおける政子の間接的な義時殺害には、半分の救いがもたらされた。この罰でもあり、救いでもある政子の行為の持つ美しさに（三谷にしてはやや性急な運びではあったが）異論はない。しかし、これは三谷幸喜の描くテレビドラマの中で十二分に起こりえることで、それを自己破壊するものではなかった。少なくとも、本当の卑しさや、本当の悪とは何かが正面から描かれる可能性は追求されなかった。その過程で視聴者の感じる愛おしさを切断する力を登場人物が発揮することもなかった。だが北条義時というこのキャラクターには、それができるポテンシャルが最終2話まではたしかにあったはずなのだ。

『鎌倉殿の13人』はおそらく現時点での三谷幸喜の最高傑作である。野暮を承知で傲慢にも採点するのなら、限りなく100点満点に近い99点くらいの作品だろう。しかし、この作品は三谷幸喜という作家が自己を破壊し、そしてまったく別の次元に変身してしまう可能性を秘めていた。だがその可能性は追求されなかった。もし追求されていたら、作品が崩壊し30点や20点の作品になるどころか、マイナス50点くらいの事故につながっていたかもしれないし、逆に120点をつけても、150点をつけてもまだ足りない採点不能の歴史的な作品になっていたかもしれない。視聴者とは、そして批評家とは貪欲な生き物だ。限りなく100点に近い99点の作品を見せられたからこそ、パンドラの箱を開けてほしくなる。三谷幸喜という作家の、あり得たかもしれない自己破壊を目にしたかった。あれだけのものを見せつけられたからこそ、僕はあれからそんなことばかり考えている。

14.『すずめの戸締まり』と「震災」の問題

新海誠の新作『すずめの戸締まり』を、最速上映で見てきた。結論から述べると、この作品で新海誠は明らかに宮崎駿や、村上春樹が背負ってきた（そして村上は良くも悪くもそこから逃げ出してしまった）「国民的作家」であることを引き受けようとしている。その姿勢は批判することを目的にあら捜しをすればいくらでも攻撃できるだろうが、少なくともそういった誰かにダメ出しすることで自分を支えている人たちよりは圧倒的に真摯で、これまで彼の作品を嫌悪してきた人たちからの信頼を獲得することもある程度できるのだろう。しかし、そのために本作は前二作と比べたとき（その東日本大震災という生々しい主題にもかかわらず）、内容の空疎なものになってしまっているのは間違いない。この正しさと貧しさのようなものについて、今回は考えてみたいと思う。

さて、この作品の下敷きは村上春樹が阪神淡路大震災にインスパイアされて書いた『かえるくん、東京を救う』だ。ある日、平凡な青年のもとに巨大なかえるが現れる。「かえるくん」は彼に自分と一緒に「みみずくん」と戦ってほしいと頼む。「みみずくん」は東京の地下の世界に住む怪物で、機嫌が悪くなると地震を起こす。それが3日後に起こる、とかえるくんはいう。推定される死者数は15万人。これを阻止するためにかえるくんは主人公に助力を頼む。主人公が選ばれたのは、彼が「やりたくない地味で危険な仕事を引き受け、黙々とこなしてきた」人間だからだという。その助力とは要するにかえるくんを応援することで、あまり具体性が伴わない。しかし、彼は新宿で何者かに銃撃される。病院のベッドで目覚めた彼は、地震が起こらなかったことを知る……というのがその物語だ。

この『かえるくん、東京を救う』における「地震」とは、人間が自分たちで作り上げてきた社会のシステムによって生み出されてしまった目に見えない「悪」の象徴だ。村上春樹はこの少し前からかつてのマルクス主義のような目に見える「悪」ではなく、自分たちが高度資本主義と消費社会の中で無意識のうちに生み出してしまっている目に見えない「悪」との対決を反復して描いていた。つまりこうした現代的な不可視の、それも世界の外部から来訪するのではなく内部から湧き上がる悪に、地味だけれど、きちんと暮らし、生きる個人の良心のようなもので対抗するというのがこの物語の図式だ。村上春樹はこの時期からこの良心のようなものを掲げて、たとえば歴史認識の分断の問題といった大きな主題にアプローチしようとしているのだが、結論から述べれば失敗している。それは村上春樹はこの程度の「良心」で悪に対抗するというビジョンを自分で掲げておきながら信じられず、その結果としてナルシスティックな男性性の強化を導入していったためだ。その男性的なナルシシズムは性搾取に依存しており、21世紀の今日においてむしろこの作家のもっとも批判を集める側面になっている。また、他者に依存したナルシシズムを根拠に置くというモデルは自分の社会的なコミットに対し自分で責任を負えない主体像にしか結びつくことはなく、「悪」に対抗する主体としてはまったく説得力がなくなっている。これが、今日における村上春樹が陥った罠だ(この問題については、拙著『砂漠と異人たち』に詳しい)。

では、『かえるくん、東京を救う』を再話した新海誠は今回どのようなアプローチを取ったのか。まず、新海は「悪」という村上の主題を捨て去る。震災を、何かの比喩にするのではなく震災そのものとして描く。これは庵野秀明が『シン・ゴジラ』で怪獣=震災(正確には福島第一原子力発電所の事故)を「失われた30年」の象徴として描き、平成の政治改革に「失敗」した日本を皮肉ってみせたのとは対照的なアプローチだ。つまりこの作品では「敵」を設定せずに、つまり誰かが「悪い」のではなく、あくまでこの世界に存在する過酷さのひとつとして震災を描き、物語は東日本大震災で母親を失ったヒロインの回復に向かって収斂していく。そこには特筆すべき視点やアプローチはまったくない。あるのはただ被災を乗り超えた人々の人生を「損なわれたもの」として位置づけてはいけない、前提として無条件に肯定したい、それが絶対に必要なことだという意志だけだ。

この淡白で直接的なメッセージを前面に押し出す態度は震災後10年を経た今だからこそ可能なものだろう。象徴的なのは後半に登場する、福島の風景だ。汚染土が積まれ、半ばゴーストタウンと化した2020年代の福島の風景を、新海は適度に「美しく」描いた。この肯定性にたどり着くまでには、これだけの時間が必要だったのだ。生き延びた人々がこの世界は美しく見ることができることを、そしてそうしたいという意志を堂々と表明できるようになるまでに、日本人は10年を必要としたのだ。逆に言えば、それまで日本人は震災を他のなにかに重ね合わせて、具体的にはそれ以前から攻撃したいと考えていた「敵」の象徴としてしか受け止めることができなかったのかもしれない。

新海の出世作である『君の名は。』が震災をボーイ・ミーツ・ガールの物語を盛り上げるBGMとして割り切って扱い、それが日本人の震災を安全に消費できるものにしてしまいたい、という無意識の欲望を満たしたことは間違いない。その新海が、2022年の今だからこそ可能な方法で正面から震災を扱ったこと自体は、とりあえず「まっとうな」ことであるように思える。しかし、問題はそのためにこの作品はかなり内容が薄弱になっていることだ。

新海誠という作家を大雑把にまとめると（さすがにこの1記事でのまとめが大雑把になるのは許してほしい。というか、ブログの1記事に詳細さと総合性を求められると、フットワークの軽い時評は不可能になる）、それはアニメーションにおける「風景」の再発見と、村上春樹的な男性ナルシシズムの変態的な表現が特色の作家だということになる。前者はキャラクターのデザインではなく背景美術によって、それも現代の現実の風景を過剰に美化して描くことによって世界観を提示する手法のことを指す。そしてこの美化された風景は基本的に後者の村上的な男性ナルシシズムの救済装置として作用している。

村上春樹的な男性ナルシシズムとは、強い男性が女性を守ることで得られる(石原慎太郎的な)ものではなく、弱い(多くの場合は心に傷を負った)女性から必要とされることで獲得される男性ナルシシズムのことだ。劣位にある女性を所有することで強化されるナルシシズムである点は同じだが、「強い自分が女性を守る」のではなく「弱い女性が自分を求める」という構造の違いがある。どちらも現代の人権感覚からすると到底受け入れられるものではないが、ここで重要なのは新海という作家がこの村上春樹的なナルシシズムを、ある種のマゾヒズムに昇華していることだろう。

たとえば村上春樹的な女性への所有欲が結末で挫折し、主人公の自己憐憫を美しい風景が包み込む『秒速5センチメートル』からは、その欲望が否定され、傷つくことによって繊細な自分を確認し、より愛するという新海のある種のマゾヒズムと結びついた自己愛を確認できる。

このマゾヒズムにすら結びつく新海の変態性が全開になったのが『言の葉の庭』で、同作では（婉曲的に描かれてはいるが）足フェチの高校生と心を病んだ女教師の情事といった、ほとんどポルノ小説のような物語が、信じられないくらいにリリカルに美化された新宿を背景に描かれることになる（この新海の被虐性の強いナルシシズムを加藤浩次は「インポのナルシシズム」と呼んでいた）。この変態性は、風景の過剰なまでの美化と並び、新海という作家の個性の中核を形成している。

しかし『君の名は。』以降、メジャーシーンでの大作志向に切り替えた新海からは、この変態性が失われていく。『君の名は。』ではこの鬱屈した、そして被虐的なナルシシズムは影を潜め、主人公とヒロインは危機を乗り越えた後に予定調和的に再会する。『君の名は。』は演出面において、新海誠の反復してきた風景の再発見に当時商業／二次創作を問わず洗練されていったMV的なアニメーションの快楽をミックスしたもので、こうして生まれた世界をSF的なギミックを生かした超展開シナリオで見せるというコンセプチュアルな作品だった（その一方で、イデオロギー的には無防備にポピュリズム的な感性に応えてしまった）。このとき新海の持ち味であった変態性はかなり縮退し、「口噛み酒」というモチーフにのみ残されることになった。

続く『天気の子』は新海がかつての被虐的なナルシシズムの回復を目論見、そしてできなかった作品だと考えればいい。主人公の少年がヒロインの少女を救うために、世界を犠牲にする。しかし彼はそのために目白から代々木までの5キロメートルという微妙な距離をランニングしただけで、何も失わない。手にした拳銃を発砲しても誰も傷つかないし、世界を犠牲にしたことを誰にも責められない。とどめに、救い出した少女とは予定調和的に再会する。かつての新海ならこのうちどれかひとつでも逆の描写になり、深く傷ついた少年の自己憐憫を美しい風景が包み込み、マゾヒスティックなナルシシズムが確認されるという結末を迎えたはずだ。『天気の子』はロックな外見（というか、公開時の新海のインタビューでの発言を用いた観客に対する印象操作）とは裏腹に、もはや新海がロックでも中二病でもなく、その姿勢を表面的に繕うことしかできないことを証明した老いの告白のような作品だったと思う。

そしてこの『すずめの戸締まり』はどうか。ここではもはや新海の分身のような少年は主人公ではありえない。端的に述べれば、「老い」を自覚した新海は宮崎駿も村上春樹もまだ引き受けていない震災後の日本の貧しさを、正面から引き受けるために自分の物語を排除したのだ。その変態性の名残りは、椅子に変身させられてしまった相手役の青年がヒロインに「座られ」「踏まれる」描写にわずかに残っているだけだ。そして物語としても、描かれているのは広義の被災者たちが自分の生を呪わないで済むための儀式のようなもので、それ自体はこの10年、良心的なアプローチとしてこの国で反復されてきたもので、とりわけ特筆すべきものはない。まっとうで、良心的で、僕も好感を抱いた。しかし、創作物として何かがあったかと言われると、恐ろしいほどに空っぽだ。そして新海はほぼ間違いなく、国民作家として振る舞うために「空っぽ」であることを選んでいるのだ。言い換えれば自分の物語を封印し、既に存在している社会の風景を描写することを選んだのだ。そしてその結果として基本的にナルシシズムを描いてきたこの作家の物語は、恐ろしいほど空疎になっているのだ。

ここに露呈しているものはなにか。それはいま、この国で国民的作家であろうとすると、ほとんど空っぽにしかなり得ない、ということかもしれない。もちろん、これはやや新海に甘い評価で、優れた作家ならば普通に引き受けてしまうとありふれた、少なくとも創作物を用いて描くには値しない「自明の正しさ」を伝達することだけに留まることなく、豊かな想像力を行使してとんでもないものを出せたはずだ、とは言えるだろう。しかしこの空っぽさ、薄弱さこそがいまのこの国を体現してしまっている、という現実もまた確実に存在する。10年前のあの出来事を、誰かを殴るための大義名分や安っぽい自己肯定の言い訳にしか使えなかった（たとえば村上春樹は、『騎士団長殺し』でいまだにこの震災を男性的なナルシシズムが揺らぐことへの不安と重ね合わせることでしか描けてない）この国へのアンサーとしてこの作品は結果的に、その空疎さによって成立している。

15.『仮面ライダーBLACK SUN』と「左翼」の問題

先月末にアマゾンプライムビデオで配信がはじまった『仮面ライダーBLACK SUN』を、今週前半で一気見した。一言で言えば、この作品は「仮面ライダー」という器でいま、できることとできないことの境界線を浮き彫りにしてしまっており、それが同時にこの国の戦後史のクリティカル・ポイントになっているように僕には思える。ここでは、この仮面ライダー史上(ある意味においては)最大の問題作について論じてみたい。

「仮面ライダーに政治を持ち込むな」とか「反日ゆるざん」とか言っている人はまあ、そっとしておくとして(一応言っておくが、君たちはものを考える上での最低限のリテラシーが足りていないないだけだ)、この作品は「戦後史(の半ばから後半の50年)とは新左翼的ロマンティシズムの敗北である」という史観に基づいて作られており、その結果端的に言って物語の内容的に破綻している。少し意地悪な言い方をすれば、『仮面ライダーBLACK SUN』とはグレタ・トゥーンベリ的な今どきの意識の高い活動家が、新左翼「的な」ロマンティシズムの延命方法を半世紀もの間ずっと模索してきたおじいちゃん(見た目は「おじさん」だが、中身は「おじいちゃん」だろう）に説教されて新左翼の泥臭いスタイルに回帰する、という物語だ。

これはNHKが手を抜いた「朝ドラ」を作ったときの展開によく似ている。学校の先生とか看護師とか、とりあえず誰からも褒められそうな無難な夢を持つ主人公が上京して、イケメン夫（だいたい幼馴染）をゲットした後地元にUターン就職して、大好きなおじいちゃん・おばあちゃんの下で伝統文化の継承とか地方創生に勤しむ、といった高齢視聴者の願望に即した「孫ポルノ」的展開が近年の手を抜いて作られた「はずれ」の朝ドラの鉄板の展開なのだが、本作はほとんどそれの特撮版だと言っていい。しかし問題は『仮面ライダーBLACK SUN』にこうした「孫ポルノ」を期待している視聴者はおそらく全世界で多くて数十名くらいだと思われることだ。思わず面白くなって茶化して書いてしまったが、実はここに深刻な問題がある、というのが僕の理解だ。

監督の白石和彌らがここでヒロインの葵を通して描いている現代性とは、グレタ本人というより、彼女を好意的に消費する気分だけのリベラリストたちのメンタリティ——比喩的に述べればクーラーの効いた部屋でスターバックスのコーヒーを飲みながら環境問題の本を読んでその感想をフェイスブックでシェアする人々の、ときに「シャンパン左翼」といった言葉で揶揄される文化（要するにクリエイティブ・クラスのリベラル志向）——のことだろう

（本当にグレタが今どきのシャンパン左翼の象徴たり得るかは微妙な気もするが……）。

この物語の中では、人間（マジョリティ）が変身能力を持つ怪人（マイノリティ）を差別していて、ヒロインの葵＝グレタは人間でありながらその差別の解消を訴える運動の中心人物だ。そして物語は中盤でこの葵が、怪人たちが結成した団体「護流五無」（以下「ゴルゴム」）によって怪人に改造され、つまり人種的なマジョリティ＝人間から、差別される少数民族＝怪人に転落することで、「正しく」シャンパン左翼性を克服し、新左翼的なロマンティシズムを継承する、という展開を見せる。それこそ半世紀戦い続けてきた（もしくはそのポーズを取って満足してきた）おじいちゃんやおばあちゃんたちや左翼史に（不必要に）詳しい人たちに怒られそうだが、とりあえずこの作品における新左翼的なロマンティシズムとは「権力的ではない運動を純粋に追求し、過激化することをいとわないロマンティシズム」といった理解でいいだろう（少なくとも、この作品ではそう描かれている）。

つまり統治権力と戦略的に妥協し、政府与党の事実上の補完勢力となることで保護を獲得したゴルゴムに対し、あくまで政府との対決を標榜し続ける怪人たちの立場からこの物語は描かれている。しかもその「抵抗派」の中でも武力革命の推進派（シャドームーンの一党）とそうではなく「ゴルゴムのように政権とは妥協しないが、武力革命は考えない」怪人（ブラックサンとその取り巻きたち）の路線対立がある。このあたりも、現実の新左翼史を意識しながら作り上げた構図だろう。物語の中で、ゴルゴムの中心メンバーとそれを利用していたときの首相や、シャドームーン、ブラックサンなどの闘争の主要なプレイヤーは全員死亡し、結末ではブラックサンの遺志を引き継いだはずの葵が、なぜかシャドームーン的な武力闘争路線を継承する。この結末はどう考えても論理的に破綻しており、背景など一切考えずに見ていてもあまりの不自然さに頭の中が疑問でいっぱいになる。しかしその破綻にこそ、語られるべきものがあるのだ。

要するにここで白石和彌らは、グレタ的なシャンパン左翼はマイノリティに同化して新左翼を継承しろと説教しているのだ。白石和彌が師匠筋の若松孝二から引き継いだイデオロギーを展開したと考えると微笑ましいが、問題はむしろその射程の短さだ。結末では明らかに安倍晋三をモデルにしたときの首相が、ブラックサンの取り巻きだった怪人たちに暗殺される。制作時期を考えるとこれは偶然の一致で、現実の安倍晋三暗殺事件とは無関係だろう。しかし、実際に安倍晋三を手にかけたのは新左翼的なロマンティシズムの継承者ではなく「無敵の人」だった。ここに、この作品の決定的な弱さがある。要するに、この作品は反時代的なメッセージを提示して時代に抵抗しようとしているにもかかわらず、完全に現実に置いていかれてしまっているのだ。もっと言ってしまえば、白石和彌が用意した戦後史を新左翼的なものの敗北史としてとらえる、という目論見自体の脆弱さが露呈してしまっているのだ。「差別」をテーマにしておきながら、白石たちは現代におけるマイナー性とは何かがまったく分かっていない。日本における「無敵の人」の問題が分からない（視界に入らない）ということは、要するに戦後の西側諸国が形成してきた20世紀後半の中流家庭（特に男性）の経済的、アイデンティティ的な没落という世界的な問題が全く視界に入っていないということで、ひいてはブレグジットやトランプ現象のようなものも視界には入っていない、ということを意味する。そして、この構図——グローバル／情報化の波の中で、戦後中流が没落する——に対する理解抜きにグレタ的な地球規模の気候変動の抑止を掲げてグローバルに活動する現代的な運動家のメンタリティもとらえられるはずがないのだ（これらは、コインの裏表なのだから）。

『仮面ライダーBLACK SUN』を視聴すると、その現実へのアプローチの「雑さ」がどうしても気になってしまう。序盤から提示される日本のヘイト運動とブラック・ライヴズ・マター（BLM）の取り込み、くらいまではまだ機能していたと思うのだが、中盤以降は単純な比喩関係としても少し雑過ぎるのではないかと感じるところが増えていく。この雑さは半分は「特撮」を舐めた制作態度の問題（ところどころ、登場人物が状況を視聴者に親切に説明するまるで民放の手を抜いて作ったタレントドラマのような不自然な台詞が出てくるとか、ゴルゴム党本部のセキュリティがガバガバですぐに誰でも侵入できるとか）だが、もう半分はこの「グレタには嫉妬じみた説教欲を掻き立てられているが『無敵の人』には無関心」な、制作者たちの世界理解そのものの浅さに起因している。

その最大の被害者が西島秀俊の演じた主人公のブラックサン＝南光太郎だろう。本作における南光太郎は葵＝グレタから尊敬されるためだけに存在している。彼が自己肯定を獲得して、安らかに死ぬための「孫ポルノ」、それが『仮面ライダーBLACK SUN』だ。そしてそのために事実上、南光太郎の物語は空っぽだ。この50年間彼が何を愛し、何を遠ざけて、どう生きてきたのか、説明される設定以上のもの（たとえば「内面」）がほとんど感じられない。それは考えてみれば当たり前の話で、本作の実質的な主人公は葵＝グレタだというのは誰の目にも明らかだからだ。本作における南光太郎は外見こそ50代だが、中身は70歳を過ぎた老人のはずで、実際物語でも死ぬ前に「孫」みたいな女の子に肯定されたいくらいのことしか考えていない。「朝ドラ」を毎朝見て「こんな孫が欲しかった」と思いながら茶をすするおじいちゃんに、どんな物語があり得るだろうか。いや、あり得るのだろうが、それは少なくとも明確に「孫ポルノ」を求めてしまう老人の悲しさをこの物語では主題にするのだと、作り手に明確な自覚があったときだけだろう。

僕は白石和彌たちが「仮面ライダー」という題材を通じて、「新左翼の戦後史」を描こうとしたこと自体が間違っていたとは思わない。拙著『リトル・ピープルの時代』で論じたとおり、初代『仮面ライダー』が放送されていた70年代初頭は新左翼が凄惨な内ゲバを繰り返して衰退し、「政治の季節」が終わりを告げ、来たるべき消費社会の足音が聞こえはじめていた時代だった。そして前時代の匂いをある程度引き継いだ石ノ森章太郎の原作「的な」マンガ版と、ほぼ完全に脱政治化し物語的には事実上無内容になる一方でたっぷりとアクションを見せた東映のテレビドラマ版によって展開された初代『仮面ライダー』はまさに、それぞれ別の意味で時代の転換を象徴する作品だった。その『仮面ライダー』50周年記念作品として制作された同作が、新左翼の敗北史としてこの半世紀の日本を描く選択をしたこと自体は非常に妥当かつ、批評的な試みだったとすら言える。問題は白石和彌たちが親（師匠）世代のメンタリティを、もしくは自分たちがその世代から引き継いだメンタリティを救済するために、かなり無自覚に新左翼版「孫ポルノ」を制作し、現実が全く見えなくなっていたことだけだ。

16. 『リコリス・リコイル』と「日常系」の問題

先日、ニッポン放送吉田尚記アナウンサーの司会で『リコリス・リコイル』についての座談会に登壇した。[*] ここでは、その座談会で語りきれなかったことも含めて論じてみたい。

この物語の舞台は架空の（現代、もしくは近未来の）日本だ。この世界では10年前に大規模なテロが起こり電波塔（東京スカイツリーをモデルにしたもの）が破壊されている。物語の開始時では新しい電波塔とともに「復興」が進行し、ヒロインの千束はその破壊された電波塔の見える東京東部の下町にある「喫茶リコリコ」の看板娘だ。しかしその正体は、政府が密かに養成する子供のエージェント（女性はリコリス、男性はリリベルと呼ばれる）のひとりであり、ある事情から常人離れをした戦闘能力を有する千束はまだ幼い子供でありながら10年前の事件でテロリストの鎮圧に大きく貢献した伝説の「リコリス」だ。その功績によって、彼女は普段は下町の喫茶店で働き、街の人々の困りごとをボランタリーに助ける活動をすることが認められている。そして物語は任務中の命令違反で正規の部隊から喫茶リコリコに「左遷」されてきたリコリス（たきな）が合流するところからはじまる。以降、千束とたきなはバティを組み、「リコリコ」で働きながら密かにテロリストと対決していくことになる。

この作品にはキャラクターのデザイン（特に某日常系アニメのヒロインのひとりを彷彿とさせるたきなのルックス）が象徴するように、ちょうどスカイツリーが落成した頃の——東日本大震災前後の——「萌え」文化の匂いがする。もっと言ってしまえば、当時「日常系」（あるいは「空気系」）と呼ばれた、男性向けのマンガやアニメの匂いがする。そこでは、女性同士のコミュニティが中心に描かれ、社会的な事件や人間の生死にかかわるようなシリアスでドラマチックな展開よりも、部活動の休憩中でのおしゃべりや放課後の寄り道での買い食いなど、日常の他愛もないやり取りの中で幸福観を提示する、という物語が好まれた。これらの作品の大きなターゲットの1つが、僕と同世代の中年男性であることを考えると、それはそれで別の大きな問題が潜んでいることは間違いないのだが、それはまあ、置いておいて話を進めよう。

『リコリス・リコイル』における千束たちの表の活動、つまり喫茶リコリコによるコミュニティの運営（街の人々のたまり場となると同時に、ボードゲーム大会などをよく開いてい

＊ PLANETS YouTube チャンネル「批評座談会〈リコリス・リコイル〉」(https://www.youtube.com/watch?v=YmhlrbnfXm4)

る）や、下町の人助けのエピソードは「あの頃」の萌え文化、具体的には「日常系」アニメのノリを強く想起させる。そして、このかつての「日常系」的な豊かさは千束たちリコリス／リリベルらの活動によって維持されている。折れたスカイツリーの下で、かつての日常系の残り香のような平和を、ヒロインたちが血を流しながら維持しているのだ。ここにかつての「萌え」文化の遺伝子を、このような形式を取ることで守り抜こうというこの作品の制作スタンスを読み込むことも可能だろう。

そして物語は千束の抱える秘密と、この偽りの平和の破壊を目論むテロリスト（真島）との対決を軸に進行する。千束の抱える秘密とは、先天的な心臓の疾患のために余命が短いことだ。その才能を見込まれた千束は特別な延命措置を受けているが、そのタイムリミットも近づいている。千束が年齢の割に達観しているのはこのためで、彼女は残された時間を、自分が肌で感じられる等身大のコミュニティとの触れ合い、つまり表の活動を通じて全力で楽しみ、その維持のため裏の活動にもコミットしていることが明かされる。

千束に与えられたこの設定は、『リコリス・リコイル』という作品そのもののコンセプトを体現したものだと考えればいい。あの頃（スカイツリーの落成前後）の日常系アニメの持っていたユートピア性を、それが偽物の、薄っぺらい、儚いものだったとしても延命させ、守るためにその外側と対決すること。具体的には、ガンアクションと活劇を用いて「あの頃」の「萌え」を延命させること。それがこの『リコリス・リコイル』という作品のコンセプトなのだ。

そしてその「敵」となる真島は千束が、つまりこの作品の作り手たちが守ろうとしているものの欺瞞を暴き出すことを目的としている。ここに僕はこのコンセプチュアルで野心的な作品の限界もあったように思う。

それは端的に述べれば、千束（と作り手たち）が守ろうとしているものの本質を、真島が正確に暴き出していない、という問題にある。かつての「日常系」ブーム下の「萌え」文化の主な消費者は、青年から中高年の大人の男性たちだった。彼らは男性登場人物が（ほとんど）いない世界で、つまり自己投影の対象の存在しない世界で女性キャラクター同士の戯れを眺めることを求めた。自己を投影する対象を発見してしまったとき、そこには現実の自分との比較が生まれ、あまり肯定したくない現実が入り込んでしまうからだ。そうやって、女性同士の関係性のみの世界に（ときには、そのドロドロとした人間関係も含めて）安心して逃避できるユートピアを見出してしまうことに、フェミニズム的な見地から批判を加えることはとても簡単で、たぶんレポートの書き方を覚えたばかりの大学一年生にも可能だろう。

しかし僕の考えではより重要な問題は他にある。それはこの「日常系」が既に市場的には敗北し、後退している形式であることだ。もはや市場のトレンドは、既に現実の人生を半ば諦めた人々の自虐的な感性にアプローチし、何もかも分かっていてやっているのだというメタメッセージを伴いながら願望充足的なサプリメントの物語を提供する「なろう系」（いわゆる「異世界転生」ものに代表される一連の作品群）にある。

『リコリス・リコイル』に僕が感じた若干の物足りなさはここにある。要するに、千束の思想に、真島の思想は対抗できていない。千束は最初から、それが嘘っぱちで、薄っぺらくて、射程の短いものだと分かっている。しかし、それでもそれを守ることに価値がある、というのが彼女の思想なのだ。世界は変わらない。変えられない。だから、目の前のものを全力で愛し、守るのが千束なのだ。対する真島のイデオロギーは、このような平和の欺瞞を暴き出し、世界の調和を保つことなのだが、ここにこの作品の弱さがある。つまり真島は嘘が必要だと述べている相手に、それは嘘だと反論してしまっているのだ。もし、真島が本当に千束に対抗したいのなら、彼女が擁護するあの頃の日常系の「萌え」文化そのものを相対化するイデオロギーが必要だったのではないか。それが「嘘」だと暴き出すのではなく、もう力を失った「嘘」であることを突きつけるべきだったのではないか。スカイツリーが折れた――あの頃のまだ牧歌的だった日本を失ってしまった――僕たちは、もはや「日常系」的な逃避行動ではもう、現実を支えられない。こうしたイデオロギーを前面化してはじめて彼は千束の「敵」たり得たのではないか。

「無敵の人」が元首相を暗殺し、虚構の世界には「なろう系」が跋扈するこの2020年代に、千束の擁護するあの頃の日常系の持つユートピア感は本当に対抗できるのか、と真島は問うべきだったのではないか。真島（というか、作り手たち）はもちろん、この可能性を視野に入れてはいたと思う。だから真島は物語の終盤に、東京の市民たちに無作為に銃を配る。しかしこの展開は本格化することなく、真島と千束の戦いにはひとまずの決着がついてしまう。僕は、ここでこの作品の作り手たちは作劇的に楽をした――本当の問題から目をそらした――と思った。真島のテロが少し形を変えれば（作り手がエピソードの重心を変えれば）、千束は真の敵と対峙することができたはずなのだ。そうなったときに千束は本当に思想的に勝てたのか（視聴者の納得のいく展開が作れたのか）は疑問だが……。

それともう1つ。この物語には、主な視聴者である成人男性の感情移入の対象となるキャラクターがほぼ存在しない。悪役の真島はサイコパスとして、むしろ感情移入を排するように描かれており、千束の保護者であるミカとヨシの2人はゲイの熟年男性であり物語の主要なターゲットであるヘテロの男性からは意図的に距離が置かれている。そう、この『リコリス・リコイル』も周到に視聴者の分身を予め排除して作られた作品なのだ。したがって本当に千束の掲げるイデオロギーに対抗するなら真島は「俺たち」、つまり「無敵の人」をもっと全面的に動員して千束と対決すべきだったのだと僕は思う。「日常系」の本当の「敵」はそれが空疎なファンタジーであることをドヤ顔で指摘する社会学者のような真島の知性ではなく、市場から圧倒的な支持を受けて「あの頃」の「萌え」を過去のものにしてしまった、より強烈なサプリメントとしての「なろう系」的なものなのだから。

17.『初恋の悪魔』と「謎解き」の問題

僕はこの夏に放映されていたテレビドラマの中では『初恋の悪魔』をもっとも楽しみに観ていた。人気も視聴率も、これまでの坂元裕二の脚本作品の中でそれほど目立ったものではなかったようだが、僕はこの作品はこの作家を考える上では欠かせない重要な作品ではないかと考えている。今回はその理由を記しながら、この作品が描いてしまっているものについて考えてみたい。

さて、まずはこの作品の内容を簡単に確認しよう。この物語は当初、1話完結型のミステリードラマとして視聴者の前に現れる。刑事課の刑事・鈴之介（林遣都）、総務課の職員・悠日（仲野太賀）、生活安全課の星砂（松岡茉優）、そして会計課の琉夏（柄本佑）の捜査権を持たない4人がちょっとしたなりゆきから鈴之介の家に集まり、さまざまな事件を「自宅捜査会議」で解決していく、という体裁を取る。この過程で、恋愛経験のない鈴之介は星砂を好きになる（つまり「初恋」を経験する）。しかしほどなく悠日と星砂が付き合うようになり、鈴之介は失恋する。

物語の後半は悠日の兄の死をめぐる疑惑と、星砂がティーンの頃から発症している多重人格の問題を中心に物語は進行する。星砂の第2の人格（ヘビ女）は、ときどき星砂の本来の人格と入れ替わり、2人は記憶を共有していない。そして、物語の後半は星砂と「ヘビ女」がほぼ入れ替わった状態で進行し、鈴之介と「ヘビ女」は互いに惹かれ合う。そして物語の結末近く、「ヘビ女」はもうすぐ自分の人格が消滅してしまうことを悟り、鈴之介に別れを告げる。そして、鈴之介と悠日、星砂、琉夏の4人は再び、たびたび鈴之介の家に集まり「自宅捜査会議」を行なう日常に回帰していく。

この展開に坂元裕二の往年のファンは『カルテット』の4人組や、『大豆田とわ子と三人の元夫』のヒロイン・とわ子と最初の夫、そして彼女の死んだ親友の奇妙な三角関係のことを思い出すはずだ。

『カルテット』の4人組は「片思いの連鎖」でつながる関係だった。そして、どの対の組み合わせも両思い（双方向）にならない、つまり閉じないものだった。ここで坂元裕二は、対で閉じることを全員が拒否している状態だからこそ成立する優しさのようなものを描き出していたのだと思う。しかしそのために『カルテット』の結末は（それを望んだSNSの声に引きずられてしまった側面もあるだろうが）4人組が外部の社会に対しては頑なに閉じて、離脱していくというかたちに着地した。二者の対の関係で「閉じない」関係性の連鎖で成立する共同体が、皮肉にも外部の社会に対しては固くその門戸を閉ざしてしまう。その窮屈さを、僕はこの結末に感じた。

そのアップデート版である『大豆田とわ子と三人の元夫』では、ヒロインのとわ子は結末近くで、誰か特定のパートナーと対の関係を結ぶのではなく、自分がいまでも「片思い」し続ける最初の夫と、その元夫が結婚前から思い続けてきた（そして物語の中盤で亡くなってしまう）とわ子の親友の女性の3人の、精神的な三角関係の持続を選択する。

とわ子は最初の夫と別れた後、二度も結婚と離婚を繰り返している。それは彼女が「この人となら、私は」という対の関係に彼女が執着していたからだ。しかしとわ子は親友の死と最初の夫が彼女を思い続けていたことを知ったことで、その感情に決着をつける。このまま「三人」で生きていこう、というのがとわ子の結論だ。とわ子は次の夫を探し、対で閉じる関係を求めることを断念する。そして、自分が思い続ける最初の夫と、自分を思い続ける2番目と3番目の夫、そして最初の夫が思い続ける今は亡き自分の親友の、それぞれの片思いでゆるやかにつながる関係性の中で生きていくことを選択する。

ここでとわ子は、誰かと対の関係を結ぶこと自体を断念している。「このまま『三人』で生きていこう」というとわ子の片思いは、予め開かれている。3人目の親友が不在の存在（死者）であることで、そこには隙間が生じている。だからこそ、その精神的な三角関係には、残り2人の元夫たちが加わることができる。これが坂本が同作で示したビジョンだった(この『大豆田とわ子と三人の元夫』については、以前左記のように詳しく論じているので参考にしてもらいたい)[*]。

この物語が一貫して示しているのは、恋愛(夫婦)関係に代表される1対1の関係に閉じるのではなく、その関係が並行して複数存在しているというビジョンだ。そしてそのひとつひとつの対は友達以上夫婦未満の、中くらいの距離感に保たれている。坂元裕二のこれまでの作品を観てきた人間ならば、これがたとえば『最高の離婚』で示されたビジョンのアップデート版であることに気づくだろう。『最高の離婚』はロマンチック・ラブイデオロギーに殉じた――吉本隆明ふうに述べれば対幻想に閉じた、たとえ世界のすべてがあなたを認めなくても私だけはあなたを認めるといった――共依存的なモデルに対するアンチテーゼを提示した作品だった。具体的にはそれは、倦怠期の夫婦がこの「友達以上夫婦未満」の中くらいの関係性に着地する過程の試行錯誤を描いていた。あるいは『カルテット』『anone』で見せた家族を持たない者たち同士だからこそ選び取ることができる疑似家族的な共同体のビジョンのアップデートを、この『大豆田とわ子と三人の元夫』に登場する「中くらいの、対幻想の束」に発見することもできるだろう。そしてこの「中くらいの、対幻想の束」は『最高の離婚』で対幻想として示されたものより「弱い」。そして『カルテット』『ａｎｏｎｅ』で示されたものよりも「開かれて」いる。

では、大豆田とわ子とその元夫たちと「自宅捜査会議」との違いはなにか。まず、とわ子と3人の元夫たちの片思いの連鎖で生まれる共同体の心地よさを死者（かごめ）をも取り込むことで外部に対してゆるやかに開くモデルに対し、「自宅捜査会議」は悠日と星砂という、対の完結した関係（つまり両思いのカップル）を「内包」している。坂元裕二がロマンチックラブ・イデオロギーを解体することに執着するのは、逆にロマンチックラブ・イデオロギーへの執着が強いからであることは容易に想像がつく（自身が決定的に惹かれているからこそ、全力で解毒しようとしている）が、ここで試されているのはカルテット・ドーナッツホールからとわ子と3人の元夫たちに引き継がれた「片思いの連鎖の共同体」がロマンチック・ラブを成就させた両思いの対の関係「をも」包摂できるのか、ということだ。

ここで機能するのが「謎」の存在だ。この共同体には「謎」を解くという目的がある。こ

＊『水曜日は働かない』一五三ページ～一五四ページ。

の「目的」によって、この4人の関係性は維持されている。そもそも、この4人は捜査権を持たない4人がイレギュラーなかたちで集まり、事件の謎を解こうとすることで集まったチームだ。そう、彼らは「謎」がなければそもそもつながっていない関係性なのだ。

物語の結末でヘビ女の人格は（おそらく）消滅し、鈴之介は失恋する。鈴之介は耐えきれず、（物語終盤の展開の結果2人が居着いていた）自宅から悠日と星砂のカップルを追い出してしまう。鈴之介は自分が孤独になってしまったことを噛み締め、後悔する。しかし、再び事件が起こると、悠日たち3人が鈴之介の自宅に集まり、「自宅捜査会議」が再開される。そう、解くべき「謎」がそこにあるおかげで、彼らはまた集まることができるのだ。鈴之介が、一度は遠ざけた（そして、それを激しく後悔した）悠日と星砂のカップルと、再び一緒にいることができるのはこの「謎」を解くという「目的」があるからだ。4人が「マーヤーのヴェールを剝ぎ取る（謎を解く）」行為は、彼らのチームの維持のために必要とされているのだ。そこには、鈴之介のいまや不在になったヘビ女への思いがあり、悠日と星砂の対の関係があり、そしてメンバーの内部の恋愛関係の枠外にいる琉夏がいる。「謎」を解くという目的があることで、この共同体はこれまで坂元が提示してきたものの中でも、もっとも多様な関係性を内包するものになっているのだ。

しかし、このようにチームの外部に解くべき「謎」を置くことが、「目的」を持った共同体がどのような副作用をもたらすかを、この作家はよく知っている。だからこそ、この物語では自分たちの正義を振りかざして他人を裁くことへの欺瞞が、あるいは復讐することの持つ悪魔的な誘惑の罠が、反復して描かれることになる。解くべき「謎」を導入してあるべき共同体のビジョンを模索しながら、「謎」を解くことの副作用を解毒していく過程に生まれる物語が、この『初恋の悪魔』だったのだ。

この「謎」が、シリアルキラーによる殺人に代表される非政治的なものとされた理由も明白だ。自宅捜査会議の4人が解く「謎」には意味があってはいけなかったのだ。もし、この謎そのものに意味が発生したとき、彼らはより強くその「目的」に縛られてしまうだろう。正しいことをなすことが優先されてしまったとき、この「謎を解くこと」＝「目的」を持つことの副作用を、彼らは解毒できなくなる。これが野木亜紀子なら、この「正しさ」への向き合い方を考え抜くことで物語をつくることを選んだはずだ。しかし坂元は違う。「正しさ」を、「目的」を優先しないからこそ発生する関係性の生む価値を提示することに、彼はフォーカスしているのだ。

ここで注目されるべきなのが、2人の主人公——鈴之介と悠日——の変化だろう。鈴之介は、ミステリー小説に耽溺した少年時代を過ごし、そのまま刑事となり、いつかシリアルキラーと自分が対峙することを夢見ている。孤独な少年時代を過ごしたために、自己防衛的に自分の寂しさ、特に恋愛感情を認めたがらない。

対する悠日は、優秀な兄に対して能力的に劣る自分にコンプレックスを抱えて成長した青年で、自分が常に一歩引き、そして周囲の人間を立てることで辛うじてプライドを維持している。この2人の青年が「自宅捜査会議」を繰り返す中で変化していく。

鈴之介は自分の寂しさを自覚し、恋愛感情を受け入れる。悠日は、自分のコンプレックスを自覚し必要な自己主張を恐れなくなっていく。彼らを変えたのは、謎を解くことではない。あの自宅捜査会議の、4人の関係性そのものが、他者とこのようなかたちでかかわり得るという手触りが、青年たちを支え、変えたのだ。それは、ミステリーという形式の与えた、それが解かれるべきものとして設定されているがために実質的に無意味な「謎」に支えられたファンタジーなのは間違いない。しかしこの坂元裕二という作家が、より柔らかく、開かれた関係性のモデルを模索する中で「謎」を、ミステリーという形式を必要としたことを、僕は重く受け止めている。

18.『トップガン マーヴェリック』と「さまよえる男性性」の問題

今更なのだけど、この金曜日の夜に『トップガン マーヴェリック』を観てきた。僕は前作『トップガン』の公開時はまだ小学2年生で特に思い入れもなく、話題作だからとりあえず観ておこう、くらいの気持ちで足を運んだ。そして、圧倒された。僕は、トム・クルーズという男を舐めていた。それは恐ろしいくらい純粋に開き直ったおじさんの、おじさんによる、おじさんのための映画だったからだ。この映画には「何も」ない。あるのは「世界は俺様のカッコよさを改めて褒め称えるべきだ」というトムの自己愛と「だからお前たちも、俺みたいに立ち上がれ」という、少し考えると論理的にもおかしい無根拠かつ無責任な世界中のおじさんたちへのメッセージ（俺様こそが最高に素晴らしい、という前提を保持したまま観客の奮起を促す）だけだ。本当に他のものは「何も」ない、ほとんどバイアグラみたいな映画だ。

この映画は完全無欠の映像バイアグラであり、それ以上でもそれ以下でもないのだが、この種の映像バイアグラがこの2022年のタイミングで世界的な支持を（おじさんたちを中心に）集めていることには、軽視できない意味があるように思える。

一応、映画の内容（という程のものはないのだが）を簡単に確認しておこう。前作から30年後、主人公のマーヴェリック（トム）は新型機のテストパイロットをやっている。イラク戦争などで大きな戦功を上げているらしいが、自ら現役にこだわって昇進を拒み、パイロットを続けているという設定だ。この時点で、30代でそれなりに仕事をがんばって成果を挙げたせいで管理職になってしまった40代男性の涙腺は崩壊する。編集長と言えば聞こえはいいが、実際は本をつくる仕事ではなく、そのための予算管理と他部署との調整が仕事の8割。校了前に眠い目をこすりながら印刷所に謝り、ずるずると締切を遅らせる著者をおだてたり、すかしたりしながらなんとかゲラを戻してもらっていたあの頃のほうが、カネも時間も地位もなかったけれど、ずっと充実していた——そんな思いを抱えて生きるおじさんは、30年間トムが飛び続けていると聞いただけで胸がアツくなるのだ。

けれど、そんなトムのせめてもの抵抗も長くは続かない。21世紀のテクノロジーは、そもそも「パイロット」という存在をお払い箱にしようとしている。上官は、トムの前でこの部署を閉鎖して無人機の開発に予算を回したいと堂々と述べる。この映画の冒頭は、ずっとこんな調子だ。あれから30年、トムは相変わらず飛び続け、陸上では大きなオートバイを無駄にカッコよく（近所に出かけるだけなのに、いちいちオーバーにカーブしたりする）乗り回し、あのサングラスをかけ、あのジャケットを着て、キザなセリフを吐く。しかし時代は完全にトム的なおじさんのカッコよさ、20世紀的な男性性を過去のものとして葬り去ろうとしている。そもそも機械による身体拡張の快楽などというものは、実用性を損なう愚かなロマンティシズムとして切り捨てられようとしている。そしてトムは、実験機のテスト中に、チームの面子を立てる（ことで、予算を継続させる）ために無理をして実験機をおしゃかにし、左遷される。トムの窮状を知った盟友のアイス（前作のライバル役で、海軍で出世している）は、トムを教官としてトップガン（パイロット養成校）に戻す。そして、そこには前作でトムと一緒の飛行中に事故死した親友グースの息子（ルースター）が生徒としてトムを待っている。トムはこの30年間、ルースターの父親代わりになろうとして失敗（母親の遺志を受けて、彼がパイロットになることを妨害）し、逆に恨まれている。要するに、トムはこの30年の間、一度は年齢相応に「父」になろうとして、そして失敗したというわけだ。

そして物語は中盤以降、トムとその生徒たち（ルースターとその同期たち）がチームを組みイラン（をモデルにした某国）の核施設を問答無用で爆撃するという、どうみてもあまり合理性のないミッションに挑むことになる（もちろん、そのへんのリアリティをこの映画は最初から全く気にしていない）。

普通に考えたらトムは老いを受け入れ、ルースターの「父」代わりに再挑戦し、教官トムに導かれた若者たちが見事に任務を達成し、トムはこれまでとは違った老年のカッコよさを獲得して「成熟」するというハッピーエンド……といったところが妥当なところだと思う。僕も、このあたりまではそうなるのかなと思って観ていた。しかし、僕は間違っていた。僕は、本当にトムという男を舐めていた。

今考えれば、トムは最初から「老い」を受け入れる気など微塵もなかった。よく思い出せばこの映画はその冒頭から、自分の好きな自分の決めカットを大画面にどう映すか、ということだけが考えられていた。そんな男が、21世紀的なジェンダー観を受け入れて、マチズモに依存しない新しい男性像の獲得なんてことに興味を持つなんてことがあるはずがないのだ。

まずトムは、不仲な若者たちのチームワークを改善するために、浜辺で全員参加のビーチバレーならぬビーチアメフト会を催す（前作のビーチバレーのシーンのオマージュ）。飲みニケーション大好きのニッポンのおじさん管理職も真っ青の発想だ。そして水着でボールを追いかけてはしゃぎ回った結果、恐るべきことに超絶不仲だったチームの人間関係は劇的に改善する。そしてトムも、そのムキムキの上半身を誇らしげに晒しながらそのゲームに混じって、満面の笑みで駆け回る。まるで、自分はまだ20代の若者に混じっても何ら遜色はないと世界にアピールするかのように（というか、たぶんそれが目的だろう）。

そして、そんなトムの姿を見て、なぜかそこにいた元カノのおばちゃんはトムに惚れ直し

（！）、その晩彼と久しぶりにセックスする。しかもその現場を予想外に早く帰宅した彼女の娘に見られるが、なぜかトムを尊敬しているらしいその少女からそこで「ママをよろしくね」と公認をもらう。この超展開はある意味、終盤のドッグファイト以上のこの映画のハイライトだ。いったい、人間はどうやったら今どきのZ世代の若者たちの人間関係がビーチアメフトで改善し、そして熟年男がそこに混じってはしゃぎまわると元カノがその晩身体を許すという発想にたどり着くのだろうかまったく想像がつかない。しかし、この展開を何の迷いもなく堂々と全世界にプロデューサーとして、そして主演としてアピールできる男がトムなのだ。

そんなトムが、クライマックスの爆撃作戦に教え子だけを出撃させて自分は後方指揮なんて立場に甘んじるはずがない。トムは無断で練習機を持ち出して、上官の前で超絶テクニックを披露し関係者のすべてを納得させ、結局作戦には自分が出撃し、弟子たちはそのサポートに回るという展開になる。ここにもトムの前提として世界は自分を中心に回っているという無根拠な確信が垣間見える。作戦はトムの大活躍で成功し、最後はオマケに敵地に配備されていた今や骨董品のF-14（前作でトムが乗り回していたやつ）を奪取して最新型の敵の戦闘機を相手にひと暴れ、見事帰還する。エピローグでは、ヨリを戻したトムとその元カノが趣味で飛ばしている小型機（撮影に使用された機体はトム・クルーズの私物）でデートするシーンで幕を閉じる。

このほとんど超絶カネのかかったおじさんのフェイスブックの投稿のような映画の主張は、要するにこうだ。そもそも俺様（トム）は「老いて」いない。むしろ年相応に「父」や「教官」になろうとしていたことが間違いであり、あくまで同じパイロットとして、「友達」として「仲間」として、若者たちと一緒にビーチアメフトをして大空を飛び回ることこそが、機械による身体拡張で自分を大きく見せる青年期のナルシシズムに留まることこそが自己実現として正解だ。なぜならばやっぱり俺様は「最高」なのだから――。それがこの映画に込められた極めて無根拠な、そして（その根拠のなさが一切気にされていないために極めて）強固な自己肯定のメッセージなのだ。

もしここにせいぜい『アイアンマン』第一作程度の、イラク戦争後のアメリカの男性的な自意識のゆらぎが発生したら、途端にこのトムの作りあげた世界は崩壊する。しかし、トムの完全無欠なナルシシズムには、そんな時代の精神が入り込む余地はない。『失楽園』の渡辺淳一とか『黄昏流星群』の弘兼憲史なんて、まだヌルかったのだ。彼らの発想はたしかに醜悪だったわけだがまだ「老い」を受け入れようとしていた。しかしトムは違う。彼は主観的にはまったく「老いていない」のだ。なぜならば「俺（自分）は最高」だから。

映画館でエンディングクレジットに記された膨大なCGアーティストたちの名前を見上げ

ながら、僕は愕然とした。これだけの多くの人がひとりの男のナルシシズムを映像化するために動員されたという現実に。そしてこの映画がいま、世界中のおじさんたちの心を掴み、大ヒットをしているということに。

僕はここでマジョリティたる中年男性こそがいま、社会的に糾弾されやすい立場にあって云々といったつまらない話に加担する気はない。この映画のヒットの背景にこうしたマジョリティの身勝手に肥大した被害者意識があるのは間違いないと思うが、ここで僕が述べたいのはそういうことではない。

僕が指摘したいのはもっと根源的なことで、それはこの映画でトムが開き直っている20世紀的な男性性のゆくえの問題だ。この21世紀に、倫理的に考えても合理性から考えても20世紀的な男性中心主義が顧みられる理由はない。これは、別に政治的に正しいことを毎日ツイートしてポイントを稼いでいるタイプの人じゃなくても、今日の40代以下のある程度しっかりものを考えている人であれば当たり前の生活上の実感として理解できるはずだ。僕自身もビーチアメフトはもちろんおじさん的な「飲み会」の類ですら到底受け入れられないし、戦闘機の搭乗資格はもちろん自動車の普通免許すら欲しいと思ったことがない。つまり近代の軍隊的な、出自や階層を一旦チャラにしたコミュニティで培われたホモソーシャルと機械による身体拡張の快楽のセット販売による男性性の表現は、明らかに20世紀という戦争の世紀と工業社会を背景に生じたもので、今日においては単純に経年劣化して徐々に社会の中心から退場しようとしているのだ。そしてだからこそ、この2022年のタイミングでこの映像バイアグラのトム無双が支持されているのだ。まるで、グローバリゼーションがブレグジット／トランプを生んだように。

明らかにこの映画でトムは自分が背負う「男性」というものが20世紀に終わった文化だと自覚している。おそらくトムはそれが既に現実では社会からは葬り去られつつある（ただし自分は例外）ものだからこそ、映画という創作物の中で活き活きと描きたいと考えたのだ。具体的には20世紀の「男性」的なカッコよさを例外的に維持している俺様の素晴らしさを世界に改めて見せつけること、によって……。冒頭で述べたように、この映画はバイアグラのようなものだ。しかし、トムは間違いなくバイアグラで何が悪いと開き直っている。

そして、僕が気になっているのはこうして20世紀的な男性像が否定されていく（のは、当然だと思う。自分もついていけなかったクチだし……）として、そのどこがダメだったのか、という部分が未検証のまま葬り去られ、そしてその結果トムのような男が無邪気にその反動を担い、世界的な大ヒットを達成してしまう、というあまり建設的ではない分断がここでは起こりはじめているということだ。

たとえば、僕は機械による身体拡張は果たして悪しき男性性とイコールなのか、というところは考えてもいいと思う。僕は助手席に女性を乗せて自分の強い男性性を誇る、みたいな思考にはちょっとついていけないけれど、オートバイや自動車が造形物としては好きでミニカーやプラモデルの類はいくつも所有している（しかし、自分が運転したいとは思わない）。だからこそ、僕は逆に20世紀の人々はなぜそれほど機械を「操縦する」ことにこだわったのかを考えてみたいし、それがトム的な男性ナルシシズムと結びつくこと以外の側面、単に身体が拡張する感覚が人間に何を与えるのかも、もう一度考えるタイミングに（一方ではドローン、一方ではサイボーグ技術が進化している今だからこそ）あると思う。重要なのは、なぜ機械による身体拡張が男性性と結びついてしまったのか、そこから解放された人間と機械との関係にはどのようなものがあるか、を考えることなのだ。

同じようなことが、この映画でトムが擁護している仲間主義的なコミュニティへの無批判な礼賛や、「父」ではなく「友人」を選ぶ態度にも言えるだろう。そこから何を捨てて、何を建設的に再検証するべきなのか、という視点から20世紀を考え直すことが、僕は重要だと思う（それは言い換えれば、トム・クルーズはなんでああなってしまったのか、を真剣に考えることでもある）。

そして、こういう思考はトム的な無邪気な反動に同調したり、さあ、叩いていいものが見つかったぞと舌なめずりするような態度からは、決して得られないものなのだ。

19.『Gのレコンギスタ』と「老成」の問題

富野由悠季監督の最新作『Gのレコンギスタ』の劇場版5部作が、現在公開中の『Ⅳ激闘に叫ぶ愛』と『Ⅴ 死線を越えて』で完結した。テレビシリーズに手を入れた再編集版とは言え、10代の頃に富野由悠季の作品に触れたせいで、このような人間になり（15歳でイデに取り込まれる）、このような人生を送ってしまった人間としては、やはりどうしても気になってしまい、先週末に劇場に足を運び両作を連続で観てきた。

さて、この『Gレコ』という作品は、概ね「分かりづらい」という評価が定着している。そしてこの評価そのものは概ね正しいと思っている。物語内で起きている出来事の複雑さに比して、描写が足りていないことに加え、それをかなり不自然な台詞で補おうとしているところが多く、観ている人間は（特に初見の場合は）物語の展開を追うだけで精一杯になるだろう（この欠点は富野も自覚的だったと思われ、劇場版ではテレビシリーズより若干だが内容が整理されている）。

この「世評」というか、一般的な感想に対して富野由悠季のファン層が「いや、丁寧に

（あるいは何度か）観れば物語はしっかり把握できる、そして一度把握してしまえば、むしろ『Gレコ』は繊細な演出と、卓越した戦闘シーンの描写の洪水を浴びることのできる、大傑作なのだ」と主張して対抗する、という構図がテレビシリーズの放送時に発生し、そして今回の劇場版の公開に際しても反復されている。

そう言いたくなる気持ちは分からなくはない。『Gレコ』は俗に「白富野」と言われる、『ブレンパワード』以降の肯定性を前面に押し出した人間観と、それを伝えるための人間同士の柔らかい関係性、ゆるやかに他者を受容する態度を細かい描写や台詞回しで見せていく作風の集大成だとは言える。実際に、物語の内容は分からないのだけれど、あのフワフワした登場人物のやりとりは好ましい、といった感想を抱いた人は少なくないはずだ。僕の考えでは『Gレコ』に達成があるとすれば、おそらくここに最大のものがある。もちろん、モビルスーツ同士の戦闘にも観るべきものはあるだろうし、一部のキャラクター造形のユニークさを面白がることも可能だろう。また「分かりづらさ」については、いちいち笑いどころをテロップで教えてくれる日本のテレビバラエティのような補助輪付きの映像作品や、全ての発言にテロップのついた倍速視聴前提のユーチューブの動画の類の対極にある作品だと褒めることも可能なはずだ。

しかし、これらの言説ははっきり言ってしまえば、富野由悠季という80歳を超えた老作家にして、アニメ史上に決定的な影響を与えた歴史的な人物に対する「接待」のようなもので、この作品の突き当たってしまった困難——もっとはっきり言ってしまえば「失敗」——に正面から向き合うことを回避してしまう行為ではないかと思うのだ。

だからこれまで述べてきたような美点をすべて肯定した上で、それでも僕は思う。この作品はつまらない。明らかに空回っている。富野由悠季という作家を大切にしてあげたいとか、承認欲求を満たすためにSNSでライトなアニメファンにマウンティングしたいとか、そういった動機を調達しない限りその全体を肯定することは難しいのではないかと僕は思うのだ。そして『Gレコ』の問題は「分からない」ことではない。むしろ「分かりやす過ぎる」ことなのだ。

この問題を体現しているのが主人公のベルリだ。はっきり言ってテレビシリーズを26話と劇場版5作を経てもなお、このベルリというキャラクターはまったく成立していない。どれだけしっかり観ても、彼がどのような人間なのかまったく伝わってこない。もちろん、与えられた描写を最大限好意的に拡大解釈して、お前たちは分かっていない、ベルリはこのような人物として描かれている、と強引に主張することは可能だろう。しかしそういう卑しいゲームの素材になってしまっている時点で（そういう卑しいゲームの素材にならない限り、見出されない時点で）このキャラクターの演出は失敗しているのだ。

たとえばアムロの内向性と繊細さは、初代の『機動戦士ガンダム』の最初の15分を観ればかなり丁寧に演出されていてすぐに伝わってくる。それも「分かりやすい」記号的な演出ではなく、細かい芝居と台詞回し、状況設定の総合として伝わってくる。続篇の『機動戦士Zガンダム』の主人公カミーユ・ビダンの不安定さと攻撃性にも同じことが言える。しかし、ベルリという人間は申し訳ないけれどこのレベルで描けていない。そう、「分かりづらい」のではなく「描けていない」のだ。

たとえばヒロインのアイーダとの関係の描写は、ベルリがなぜアイーダを好きになったのかは、やはり富野由悠季という作家を擁護したいという動機のもとにある程度こちらのほうで補完してあげないと作中の描写に説得力が発生しない。この問題が大きく表面化しているのが、劇場版「Ⅲ」の中盤だ。ここにはアイーダが実姉であることを知ったベルリが慟哭するシーンがあるのだが、ベルリは突然、ここまでほとんど描写されていなかった心理を突然大声で独白する。このシーンが必要な理由は明白だ。それまで彼の心理が十分に描けていないことを、富野自身が自覚しているからだ。なので、大芝居でその心理を台詞にして観客／視聴者に説明する必要に迫られたのだ。

ここでは、それまでほとんど描かれていなかった内面をいきなり吐露しているために劇中の人物の言動として説得力がない。そのために単純に納得できないのみならず、演出としても見ているこっちが恥ずかしくなるものになっている。読者の中には、普段趣味や仕事の愚痴しか投稿していないSNSのアカウントが、いきなり自分のアイデンティティ不安や過去のトラウマを語りだしてどう反応していいか分からなくなった経験のある人も多いだろうが、このベルリのシーンはそれに匹敵する気まずさがあったと思う。そして問題はそれを、日本を、いや世界を代表するアニメ作家であり、アニメーションという表現の水準を引き上げてしまった「歴史上の人物」がやってしまっているという現実なのだ。

もちろん、こうした演劇的な心情の吐露は、富野由悠季の得意技でもある。たとえば初代『機動戦士ガンダム』第1話での「認めたくないものだな、自分自身の若さゆえの過ちというものを」というシャアの台詞や、最終回でのアムロの「ごめんよ。まだ僕には帰れる所があるんだ。こんなにうれしい事はない。分かってくれるよね。ララァにはいつでも会いにいけるから」といった台詞がそれだ。

しかし、これらの台詞は、それ以外の場面で徹底して、高畑勲的な自然主義——アニメーションという設計可能な領域の大きな表現だからこそ、高精度で実現できるリアリティ——で、登場人物の心理と彼らが置かれた状況を演出してきたからこそ、その「まとめ」的な場面でときおり「ここでこの登場人物の心理は、メタ的に整理するとこういうことである」という自己解説を登場人物自身に語らせることが効果的なのだ。

しかし『Gレコ』はこのシーンに限らず全篇に渡ってこうしたメタ的な自己解説を登場人物が自ら口にする。とにかく登場人物たちが四六時中自分たちの置かれた状況とその結果生じた心理の本質を抽象度の高い言葉で説明するのだ。その結果として、たとえばメガファウナのブリッジで、アイーダが自分の歴史認識の安直さ(教えられたことをそのまま信じてきたこと)を「反省」し、それを全部台詞として口にするといった類の猿芝居が堂々と描かれてしまうのだ。

『Gレコ』の問題は状況の説明が下手糞なこと(半分はグーグルに飼い慣らされた視聴者に対する嫌がらせのようなものだろうが)ではない。むしろ人間が描けなくなっているところを、安易な言葉でカバーする「分かりやすさ」の持つ陳腐さにある。こういった言葉だけで表現できる内容なら、そもそも劇映画という形式で表現する意味などない。言葉で表現するには適さないものを描くことができるのが劇映画のアドバンテージであり、富野の言葉を借りれば「アニメの性能」のはずだ。にもかかわらず僕たちは、まるでアニメ雑誌に載った本篇画像にライターがつけたキャプションを登場人物が読み上げるようなシーンを観させられてしまっている。その奇妙な、観念だけが先走って渦巻く空間の異様さが逆に気持ちいいというのは(僕のような)訓練された富野由悠季信者の感想であり、王様に裸だと言わないであげたくなる間違った優しさの発露以上のものではないだろう。

富野由悠季は「人間」を描けなくなっている。なぜこのようなことになってしまったのか。それが本稿の本題だ。少なくとも主人公のベルリについてはその原因は明らかだ。そもそも富野由悠季はずいぶん前から「少年」を描けなくなっていったからだ。

アムロとシャアの内向とニヒリズムは当時の若者像の富野由悠季なりの解釈と類型化で、これは初代『機動戦士ガンダム』のヒットの一因だったように思う。逆に失敗していたのはたとえば『聖戦士ダンバイン』のショウ・ザマで、異世界に召喚され、視聴者と視線を共有してその世界を探検する役割と、その世界の運命を背負う聖戦士としての役割を同時に負わされ、そして2つの役割に引き裂かれどちらも中途半端になり失敗したのが彼だった。しかしこれは『ダンバイン』という作品そのものの構想上のミスで、後の富野由悠季が少年を描くことができなくなっていった問題とは無関係だ。実際にその後に制作された『機動戦士Zガンダム』で初代『ガンダム』のファンから「共感のできない主人公」として忌避されたカミーユは、こうした反発が証明するように時代に対する批評的なアプローチとして成立していたと思うし、そのカウンターパートであるジュドーもそうだった。

最初に富野が少年性の描写に失敗したのが『機動戦士ガンダムF91』のシーブック・アノーだ。これはその前作『逆襲のシャア』が、少年の成長願望の表現としての拡張身体＝ロボットという方程式を捨て（ハサウェイやギュネイの成長物語は失敗する）、むしろモビルスーツという拡張身体の獲得では成熟できなかった（父親になることができなかった）アムロとシャアという2人の大人の死を描いた作品だったことの延長にある。その後に登場したシーブックはよき父によって導かれ、不十分な母を許し（こうした富野の女性観は、しっかり批判されたほうが良いように思う）、そして恋人セシリーの悪しき「父」である鉄仮面に鉄槌を下す権利を得る、という主人公として登場した。要するに（富野による小説版で大きくフォローされているものの）シーブックというのは、むしろ当時の富野が抱えていたよき父母であることはどういうことか、という主題から要請された登場人物であり、独立したひとりのキャラクターとしては成立していないと言わざるを得ない。しかし、この頃はまだ主人公の「少年」の設定に必然性が存在した（父母論を展開するための装置として）。

そして言うまでもなく『Vガンダム』のウッソはアイロニーとして成立していた。父母のエゴからエリート教育を受けながらも、それに潰されない純粋さを発揮するグロテスクな（不幸な）存在として、その設定は秀逸だった。『ブレンパワード』の伊佐未勇もまた、カミーユ的な否定性が肯定性に反転していく物語の主人公として、しっかり機能していた。『∀ガンダム』のロランという中性的な少年が「ガンダム」の呪縛を、それどころか少年の成長願望としての身体拡張を描いてきたこの国のロボットアニメの呪縛を解くために必要だったことは議論を俟たない。

明らかに失敗した……のは『OVERMANキングゲイナー』のゲイナーからだ。富野なりに現代に対する応答として、「引きこもりのゲーマー」という設定を与えたのだろうが、彼はここで大きくボタンをかけ違っている。ゲイナーが引きこもった原因は「両親が殺された」からだ。いわゆる「社会的ひきこもり」はむしろ、ドラマチックな事件などがないにもかかわらず、既存の「世間」への不適合から引きこもってしまうのが特徴であり、「両親が殺された」ために引きこもる（なんてのは「引きこもり」でもなんでもない普通の人だ）……という設定をゲイナーに与えたことは、むしろ富野が現代的な少年性に対しほとんど理解が及んでいないことを証明しているのだ。

『キングゲイナー』の終盤にゲイナーの成長物語としてうまく物語が展開できず、ぐだぐだと尻すぼみな展開になってしまったことはここに原因がある。ほとんど現代的な少年性に理解がないにもかかわらず、それを劣性として位置づけ、その劣性からの回復と成長を物語の中心に置いてしまったこと、それがこの失敗の原因だ。

ゲイナーは兄貴分のゲイン（完成された古いタイプの大人の男）を、別の価値（新しい男性の成熟のビジョン）を示して超えないといけない（『キングゲイナー』の初期の物語構造はそうなっている）のだが、それができない。理由は明らかで、そもそも適当な構想で組み上げられた安易なキャラクター（ゲイナー）にそんな大それたことができるわけがないのだ。

そもそもキャラクターが成立していないのに、そのキャラクターを主人公に何かを描くことは難しい。

富野由悠季はかなり以前からロボットアニメという表現で少年の成長を描くことができるとは思わなくなっていたはずだ。父や祖父から与えられた鋼鉄の疑似身体を操縦することで、大人社会に認められる少年の社会化の物語——『鉄人28号』から『エヴァンゲリオン』までを貫く図式——を信じなくなっていたはずだ。それは、『ダンバイン』の聖戦士たちがロボット（オーラバトラー）をエゴの拡張装置として用い、暴走し、破滅していったあたりから顕在化していた傾向だ（同作では、明らかにロボット＝オーラバトラーが、老若男女を問わない人間のエゴの拡張装置として描かれており、少年の成長願望の受け皿ではなくなっている）。

そして『Ζガンダム』『逆襲のシャア』『Vガンダム』では、むしろ大人になれないニュータイプだらけになった世界のグロテスクさを描くことに注力していたはずで、『ブレンパワード』『∀ガンダム』はそのグロテスクさの解毒を試みた作品だと考えればいいだろう。そして『キングゲイナー』の富野は「かわいい」ロボットの祝祭的な活動を通じて、同じ少年の（拡張身体を得た）成長の仮構でも、従来のそれ（強く、大きな物を得る）とは異なる価値を提示しようとしたはずだ。しかし、失敗した。それはそもそもの成長すべき少年像の造形が甘く、血肉が通っていないからだ。そして明らかに『Gレコ』はこの空疎さの延長にある。富野由悠季はとっくに少年を描けなくなっている作家なのだ。しかし、少年の物語以外を描こうとしない(描けない)作家でもあるのだ。ここに富野という作家の愛すべき不幸があったように僕は思う。

80歳のかわいらしいおじいちゃんが作り上げた空回りを、みんなで愛してあげようと盛り上がっているのに水を差すなという人もいるだろう。でも、僕はそういう作家接待的なこととは、まったく別の次元で、この作家が「人間」を描けなくなっている(しかもそのことに無自覚である)ことには、大きな問題が隠れていると思うのだ。そしてこの問題を考え抜くのが、僕の仕事だと思っている。

20. 『SPY×FAMILY』と「家族」（と少年性）の問題

先日、石岡良治さん、成馬零一さん、Ｊｉｎｉさんの4人で遠藤達哉『ＳＰＹ×ＦＡＭＩＬＹ』について語る機会があった。*

今回はそこで考えたこと、特に家族と少年性の問題について掘り下げてみたい。

僕がこの作品の既刊9巻を読み通して痛感したのは、戦後的な核家族の幻想がここに来て、「一回り」して強烈に復権しているのではないか、ということだった。この作品は、ただの人気作というわけではなく、現代日本を代表する作品になるはずで、かなり広い層の支持があることはほぼ間違いない。だからこそ、僕はちょっと大げさに言えば頭を抱えてしまったのだ。

この作品のファンはここまで読んで反論したくなったかもしれない。この作品は主人公たちの演じる偽物の家族の幸福観を描いていて、従来の家族像を更新しているのではないか、

＊ PLANETS YouTube チャンネル「批評座談会〈SPY × FAMILY〉」(https://www.youtube.com/watch?v=mueGL6mXajM)

と。まあ、少し落ち着いて最後まで読んでほしい。

たしかにこの作品で描かれている家族は偽物だ。夫婦は職業（スパイ）的な要請から契約している関係で、子供もそのために引き取られた養子だ。しかしこの家族は偽物「なのに」温かい。主人公たちは物語がはじまってほどなく、まるで本物の家族のように、あるいはそれ以上にそれぞれのことを必要とし、大切に感じるようになる。そして、ここがポイントだ。この家族は偽物「なのに」温かい、のだ。つまり、この作品においては、まず「本物」の家族のあるべき姿があって、主人公たちがその幸せの雛形を演じている間に「本物」に近づいていくことで読者の感情に訴える構造になっている。つまり、ここでは父がいて、母がいて、子供がいて、犬がいるという「家族」のフォーマットは疑われていないどころか、むしろ前提として肯定され、崇められているのだ。

これはたとえば少し前の疑似家族的なモチーフを用いた作品、あずまきよひこの『よつばと!』や金田一蓮十郎の『ジャングルはいつもハレのちグゥ』『ニコイチ』あたりと比べてみるとよく分かる。要するにこれらの作品に登場する家族はフォーマットから外れている。「壊れている」と言っても良い。しかし、そのことでむしろフォーマットに従った家族よりも解放された気持ちよさがある。要するにここでは偽物であるがゆえに、「気持ちのいい」家族というビジョンが提示されているのだ。この背景には戦後的な核家族の幸せのフォーマットの中では、自由に、幸福になれないタイプの人たちの叫びがある。だからこそ、これらの作品は不完全「だから」こそ気持ちのいい（疑似）家族像を提示したのだ。

しかし『SPY×FAMILY』は違う。繰り返すがこの作品では偽物「なのに」、不完全「なのに」、本物の家族と同じように温かい関係性があるからこそフォージャー家は素晴らしいものとして描かれている。ヨルとアーニャは本当の家族じゃない「からこそ」気持ちのいい関係なのではなく、まるで本当の母娘のように振る舞っているからこそ素晴らしいものとして描かれる。ここでは戦後的な核家族の、幸せのフォーマットは明らかに強化されている。戦後的核家族の幸福のパッケージが、再び全力で獲得し、守るべきものとして提示されている。僕はここで、頭を抱えたのだ。

何を言っているんだ、それがメジャーシーンというものじゃないか、当たり前じゃないか、と考える人もいるだろう。それはつい最近まで支配的な家族のかたちで、その価値を無条件に肯定する作品に、常にメジャーシーンは溢れてきたじゃないかと。ホームドラマから新聞4コマ原作のアニメまで、そういうもんじゃないか、と。

たしかにそのとおりだ。しかし、それでも僕が頭を抱えた理由は2つある。1つは、この全力で家族を演じ、維持しなければいけないということの物語への支持の背景にあるのは、多くの人が戦後的な核家族の幸福のフォーマットを支持しているだけではなく、それが渇望しているけれど手に入らない憧憬の対象になっているからではないかと思うからだ。

戦後間もなくの貧しい日本社会で、豊かなアメリカのホームドラマが目指すべき幸福のビジョンを提示したように、父がいて、母がいて、子供がいて、犬がいて……といった戦後的な核家族の幸福のフォーマットが、単に支持されているだけでなく、憧れているがなかなか手に入らない対象として創作物の中に求められているように思えるからだ（それくらい、日本は貧しくなったのだと思う）。

それともう1つ。これが仮にも『週刊少年ジャンプ』系列の媒体から出てきた作品であることだ。もちろん『少年ジャンプ+』がジャンプ本誌と、それもかつての黄金期のそれとまるで異なる客層を相手にしていることは百も承知だ。しかし、仮にも『ジャンプ』の名を冠し、少なからず少年マンガ的な文法で描かれたこの作品がここまで「家族」信仰にとらわれていることの意味は重い。

比喩的に述べれば、『ジャンプ』の代表する少年マンガとはお父さんだけが楽しい観光旅行に耐えられず、早く家に帰って同級生とゲームや釣りをしたいと考える少年たちのためのものだったはずだ。幸福な家族（ごっこ）を守るために悪と戦うのではなく、同世代の少年同士（青銅聖闘士）がつるんで上の世代（黄金聖闘士）を倒しに行くのが『ジャンプ』的な少年マンガだったはずなのだ。そこには確実に戦後的な核家族の抑圧からの解放を担う側面があった。だからこそ、そこで描かれた少年たちは表面的には次から次へと登場する強敵を倒し、強くなりながらも実質的には「同じこと」（バトル）を反復し、内面的にはほぼ成長しない（ずっと「戦いたい」しか考えない孫悟空）ことを求められたのだ。

こう書くと安直な思考回路の人は「宇野は少年マンガ的なホモソーシャルを肯定しているからダメだ、これでフェミニズム的な見地からひっぱたいて自分を賢く見せることができるぞ」と（相手の言説を正確に把握することもせずに）卑しいことを考えるのだろうけれど、これまで僕はこうした少年マンガのホモソーシャルな閉鎖性については繰り返し批判的に指摘してきている（それは前述したように、戦後日本の病理のようなものだとすら思う）し、ここで述べたいのはもっと別のことだ。

僕がここで述べたいのはかつての少年マンガのホモソーシャルな閉鎖性を克服した代わりに、この『ＳＰＹ×ＦＡＭＩＬＹ』は一周回って別の閉鎖性に陥っているのではないか、ということだ。

意地悪な表現を用いれば、１９８０年生まれの作者が代表する「失われた30年」を生きてきた今の４０代が、かつて「お父さんだけが楽しい家族旅行」を嫌悪して『ジャンプ』的なホモソーシャリズムに逃避していたあの世代が、中年になって当然手に入ると思っていた戦後的核家族のフォーマットが手に入らないことに愕然とし、このような作品にほっこり来るようになってしまっているのではないか、と僕は思っている。僕自身は『ジャンプ』的なホモソーシャリズムには当時から乗っかれず、そして今も昔も戦後的な核家族の幸福のフォーマットには息苦しさの方を強く感じている。そしてこうして精神的な距離があるからこそ、僕にはこの構造がよく見えてしまう。これはこの作品がいい、悪いという判断とは別に（僕は最初からそういう話はしていないのだが）十分に頭を抱えていい問題だと思う。

もう1つ付け加えるのだけれど、このマンガはいま、結構危うい綱渡りをしているように思う。このマンガはおそらくそもそも、パロディ的な設定の面白さで引っ張っていくというコンセプトではじまったはずだ。そしておそらくは予想外のヒットによって、読者の願望に応えるために、作者は本気でこの疑似家族を幸せにしなければいけなくなったのではないか。昔懐かしのスパイ映画のパロディですから、そこそこのリアリティでよろしく、といった感じでは読者が納得しなくなってしまったのではないか。そうでなければフォージャーの「スパイ」はともかく、ヨルを「殺し屋」なんて設定にはしない。現代の人権感覚からして、スパイはともかく「殺し屋」がある程度シリアスな作品で、それも大人から子供まで楽しめるファミリー向けの作品で幸福になるには、それなりの理由付けや贖罪的な展開が必要になる。当初はそんな真面目なことを考えずに済むようなお気楽な作品としてはじまったのだと思うけれど、現在は予想外のヒットもあり、それなりにしっかりとこの疑似家族が幸福を勝ち取る（維持する）過程を感動的に描くことで読者の期待に応えようとしているように思えるのだ。たとえばそのため、ヨルの所属する組織が後付的に義賊的な性格を帯びはじめている。この辺の要素はうまく描かないと説得力がなくなり、この完成度の高い作品を壊してしまうだろう。

また、ヒットによって注目度が上がった結果なのか、たとえ当初はパロディであったにせよ「スパイ」や「東西冷戦」というモチーフを採用したせいか、まだ単行本に未収録のフォージャーの過去篇の内容は明らかにウクライナの戦争に呼応している。この要素も、慎重に描き切らないとこれまで積み上げてきた世界観が壊れてしまうだろう。

そして僕は個人的にはこの綱渡りに作者は失敗してほしいと思っている。ほとんどの読者が望んでいるのは、この疑似家族たちがさまざまな困難を乗り越えて本物の家族になっていく展開だろうけど、それを捨てて、予想外の展開になってほしいと思っているのだ。だいぶ炎上するかもしれないし、商業的には失敗するかもしれない。しかしそれでも、戦後核家族的な幸福のフォーマットにも収まらず、黄金期「ジャンプ」的なホモソーシャルにも回帰しない、まったく別の可能性を示してほしいと思っている。それはたぶん偽物「なのに」幸福な家族ではなく、偽物「だから」こそ幸福な家族像の提示になるはずだ。

21.『ゴールデンカムイ』と「生き残ってしまった新選組」の問題

さて、今日は先日完結した『ゴールデンカムイ』について書こうと思う。

この作品は、とりあえずは今日の「なろう系」のライトノベルなどで一分野を占める願望充足的な物語のパターンを通して読みやすく自分の好きな分野について、その知識を与える面白さを狙った形式を、マンガに応用したものと考えればいいだろう。ページの端々から作者のアイヌ文化への深い愛と情熱はひしひしと伝わってくる（それだけに、連載版の最終回はもう少し和人がアイヌの土地を侵略した歴史に踏み込んだほうが良かっただろうな、と僕も思う）。だがそれ以上にこのマンガを特徴づけているのは、日露戦争後の北海道（と、北方領土と樺太）を、まるで1930年代の満州のように、国家から革命勢力、そして犯罪組織までさまざまなプレイヤーがその不安定な政情に乗じてそれぞれの夢と野望を追求する混沌とした世界として描き出したことだろう。

このマンガにおける開拓時代の北海道は正真正銘のフロンティアであり、まだ何ものもないがゆえに誰もがあらゆる夢を見ることができる、そんなロマンに溢れた世界として演出されている。いや、正確には逆だ。今日における物語の中の満州がそうであるように、この作品において作者は明らかにロマンティシズムの延命先として開拓時代の北海道を用いている。なぜ、「延命」が必要なのか。それは、(困ったことに)前世紀まで長く人類にとって最大のロマンティシズムの対象だった「戦争」が(この場合は日露戦争が)終わってしまったからだ。この物語が主人公の杉元をはじめ、戦場でしか生きられない男たち(前世紀的なマチズモにとらわれた、平和な時代に生きられない男たち)が、その居場所(死に場所)を求めて大冒険を繰り広げる物語として描かれているのは自明なことだ。

では、なぜ直接「戦争」を描かないのか? その理由は簡単だ。作者の目的は最初から戦争が終わった時代に、この戦後日本の「ような」時代に、男性的な「強さ」がむしろ社会に与える副作用から忌避される時代に、それでもそういったものを求めてしまう自分たちはどうしたらいいのか、という問いに応えることだったと思われるからだ。

そして、この主題を体現する登場人物がいる。それが、もうひとりの主人公と言っていい新選組副長・土方歳三だ。

このマンガには箱館戦争を密かに生き延びていたという設定で、老いた土方歳三が登場する。彼は明治政府との対決を諦めてはおらず、アイヌの隠し財産を手に入れることで再起を図ろうとしている。作中で土方が「死に場所」を探していることが反復して言及されることから明らかなように、この作品で土方は戦争の中でしか、歴史が個人の人生を意味づける世界でしか生きられない人間として描かれる。そしてそれは多かれ少なかれ主人公の杉元や、彼とときに共闘し、ときに対立する帝国軍人や囚人、革命家たちも同じだ。彼らもやはり、戦争の与える高揚や、生死をかけた戦いの緊張感がなければ生きていけない男たちなのだ。彼らの居場所は明らかに戦後の、平和な社会にはない。このマンガの舞台は日露戦争後だが、その「戦後」の風景は明らかにこの国の、僕たちが今生きている第二次世界大戦後の「戦後」に重ね合わされている。実際に、21世紀のこの国際社会に、特に西側の先進国にこういった男たちの居場所はない。歴史によって個人の人生を意味づけることの副作用が、ナチズムや共産主義の失敗で明確になった今日にはなおさら、土方のような男に居場所はないし、タフな男であろうとすることの副作用が世界的に叫ばれている今日に、杉元のような男の居場所もない。

少しこの国の戦後のサブカルチャーの歴史を振り返ると、こういった男たちがスポイルされてきた歴史はより鮮明に浮かび上がる。敗戦の屈辱と、それは屈辱ではなく平和と繁栄の条件だったと教え込まれる欺瞞をベースとしたこの国の児童文化の中から、それらは生まれた。ある人々は、架空の歴史をファンタジーの中ででっち上げることで、この「ねじれ」を解消しようとした。あるいはすべてを忘れた「ふり」をすることで、やり過ごそうとしてきた。前者がたとえば日本を連合国側に置き直した第二次世界大戦のやり直しである『宇宙戦艦ヤマト』の代表するアプローチであり、後者は歴史のことをすべて忘却したふりをして、何回正月やお盆が来ても誰も歳を重ねないかのように振る舞い、日常の中の他愛もないやり取りを過剰に面白がってすべてをやり過ごす『うる星やつら』的なアプローチだった。歴史の捏造と忘却。それが、この国のサブカルチャーが導き出したふたつの「戦後」に対する態度だった。

そして、この『ゴールデンカムイ』は前者、つまり歴史の「捏造」、偽史的なアプローチの進化形だ。どこが進化しているのか。それは一言で言えば、この架空年代記の中で、偽史の中で、自分たちの欲望を満たし続けられる方便の進化(?)だ。

この全30巻以上に及ぶ長篇マンガを支えているものは何か。土方が望むようにイデオロギーに殉じて生きられる世界を、ファンタジーの中で回復することだけをこの作者は考えていない。もはや「それだけ」では魅力的な物語が作れないことをこの作者は知っている。そして杉元のように戦場の緊張感を同じように作り物の世界で延命させることだけでは、現代において魅力的な物語にはならないことも知っている。では、この現代的な作家がそこに加えて、偽史の中に導入したものは何か?

それは食欲と性欲だ。

食欲については、もはや説明する必要はないだろう。このマンガの魅力を大きく占めるアイヌ文化についての蘊蓄は、そのかなりの部分が狩猟の方法と、そうして得た獲物を用いた料理に割かれている。実際にこのマンガを通して、アイヌの料理に興味を持った読者はかなり多いだろう。そしてもうひとつは性欲だ。それも、美女を横に侍らせて……といった前時代的な、ステレオタイプなものではなく、マゾヒズムや獣姦といった、はっきり言ってしまえば変態的な性欲がこのマンガを大きく特徴づけている。物語の中で杉元たちが探し回る脱獄囚の多くが、こうしたなんらかの変態性欲を抱いている。彼らは、「なんでもあり」のフロンティアとして描かれる北海道の大地を全力で駆け回り、そしてその欲望を発散する。キモければキモいほどリスペクトされるという、まるで男子校のような世界が、この架空年代記の中で思う存分描かれるのだ。

これを、どう考えたらよいのか。もはや、歴史という物語の登場人物であろうとすることも、生死をかけた戦場の緊張感に生の実感を見出す戦士の誇りも時代錯誤だ。しかしこの「戦後」の、平和だけれどすべてに角が取れてしまった、のっぺりとした時代は物足りなくて生きられない、そう考える男たちがいる。僕はそういう人たちにあまり共感することができないのだけれどこのマンガが大ヒットするくらいにはこういうメンタリティに共感する人はまだたくさんいることはすぐ分かる。そして彼らが、その満たされないロマンティシズムを補塡するために追求したのが、ファンタジーの中での食欲と変態性欲なのだ。

僕にはこのマンガが、孤独な青年、もしくは中年男性が、オートバイで北海道をツーリングしているようなものに見える。彼の「男らしさ」は昔ほど女性からも、そして同じ男性からも尊敬されない。ただ、彼はその物足りなさを、そこまで気にしていない。なぜならば、ツーリングの途中に土地のおいしいものを食べるのはとても楽しみだし、ひとりで泊る宿で夜にひとりFANZAでマニアックなポルノビデオを見てセルフプレジャーすれば寝付きも良いのだから……。こう表現してしまうと、何か冷たくこき下ろしているようだけれど、そういうわけではない。僕はあまりこのマンガで描かれたメンタリティに共感することができないのだけれど、その一方でこうも思うのだ。本当に土方は、生き延びてしまった新選組は、こうやって、架空年代記の中でウサを晴らすしかないのだろうか、と。その晴らし方が時代錯誤になったとき、食欲と性欲を効率的に満たしてやり過ごしてしまおう、というのがこのマンガなのだが、ここには重要な問題が隠れているように感じるのだ。

これは「生き延びてしまった新選組」というモチーフを使うときに、どうしても顔を出してしまう問題だ。たとえば『銀魂』に登場する真選組／攘夷志士の面々、とりわけ土方やそのライバルである主人公の銀時は一周回って、この国の欺瞞——侵略者に敗北したからこその、属国としての繁栄——を「守る」選択をしている。それは彼なりの「生き延びてしまった」ことへの決着として描かれる。彼らは普段は江戸の街の人々とコントのような日常を送る。そしてときおり、江戸の街に危機が訪れるとその愛すべき日常を守るために戦う。要するに『うる星やつら』的な歴史の忘却の欺瞞を理解しながらもそれを全力で楽しみ、その愛すべき「終わりなき日常」を守るために武器を取る、というのが『銀魂』のスタンスだ。これは比較的連載の初期（紅桜篇）あたりで出ていた結論で、そのために『銀魂』は物語を終わらせることができなくなってしまったと僕は思う。この構造を内破して、物語を終わらせるためには「この日常を守るためにこそ、真の独立を回復するために戦う」という展開を描くしかなかったのだけれど、それをこの作者はうまく描けなかったように思う。そのためにはこの敗戦によって与えられた「平和」を「あえて」愛するというイデオロギーに対抗できる新しいイデオロギーを提示する必要があったはずだ。

あるいは『るろうに剣心』はどうだったか。主人公の元維新志士・剣心や実在する生き延びた新選組隊士・斎藤一などが登場するこの作品で作者が提示したのは、（舞台は明治なのだが）戦後民主主義的なメンタリティをもち、小さな正義を実行する主人公たちだ。市民に害をなす犯罪者やテロリストは容赦なく斬るが、明治政府のあり方自体を問い直すことはしない。小さな正義を実行しながら事実上歴史を「忘却」するという選択をしているのだ。

こうして考えたとき、この『ゴールデンカムイ』が「生き延びてしまった新選組」という問題に、かなり正面からアプローチしていたことが分かるだろう。ただ、その解決方法に、あまり僕は感心しない。それは端的に述べれば、この作者は冒険と男性性をなぜか決定的に結びつけているからだ。僕は思う。動植物の狩猟採集、政治的な運動の高揚、戦場のスリル……こういったものは本当に男性的なものなのだろうか、というのがそもそもの疑問だ（今日の世界は、むしろそれが古き男性性の反省だけでは止まらないからこそ、いろいろ問題が起きているのではないか？）。僕はこの作者が抱えている問題は「男らしさ」にこだわらない、あまり関係ない生の歓びや快楽のほうに関心を向けると、自動的に解決するように思う（杉元とアシリパがただ狩りをして、食べるマンガで満たされるようになる）。

そして、もうひとつの問題がこの作者はたぶん歴史を「見て」「触れて」そして「学ぶ」ものだと思っていることだ。もちろん歴史を『見る」のは大事なことだ。ただ、僕の考えではそれは人間と歴史の関係の半分でしかない。僕はこの物語の舞台になった北海道に10年ほど住んでいた。帯広に5年、函館に3年（五稜郭によく遊びに行っていた）、札幌に2年だ。そしてまったく好きになれなかった。それは寒いのと、あと街に歴史が感じられない（和人が土地からアイヌの歴史を抹消した）からだ。もちろん、資料館や博物館の類に行ったことはある。しかし、そこで触れられるものはただの情報に過ぎず、手間のかかった読書のようなものだ。

その後、僕は京都に7年住んだ。この街が、これまで暮らしたあらゆる街（8カ所ほどある）で一番好きな街だ。京都に暮らしていると、観光なんかまったくしなくても歴史に触れることができる。近所の通学路にある寺には、応仁の乱の矢傷が残っていた（暮らしはじめてからだいぶ後で知った）。ディスカウントストアへの近道に使っていた小さな林の公園はもともと吉田兼好が『徒然草』を書いていた庵の跡だったことに、やっぱりだいぶ後になって気づいた。こういう土地に何年も暮らしていると、歴史に「見られている」ような気になる。自然と、自分の人生なんてまったく意味がないくらい大きな時間の流れがあって、自分もその一部なんだなと感じられる。こうなると、歴史が自分の人生を意味づけないと何のために生きているのか分からない、なんてことは本当に考えなくなる。僕はこの「生き延びてしまった新選組」といったモチーフにとらわれてしまう人は、ちょっと「歴史」についての距離感とかかわりかたを見つめ直したほうが良いのではないか。歴史は自分の人生の意味を求めて「見る」ものじゃない。別にあなたがどんな自意識を持っていても、関係なく存在し、流れているものだ。そんな歴史に僕たちは「見られている」。そのことに気づいたほうが良いのではないか、と僕はこうした「歴史」を見たがる人たちの物語に触れるたびに思うのだ。

22. 『機動戦士ガンダム ククルス・ドアンの島』と「イデオロギー」の問題

『機動戦士ガンダム ククルス・ドアンの島』をこの日曜日に見てきたので、その雑感を通して安彦良和という作家について改めて考えてみたい。

最初に断っておくがこの『ククルス・ドアンの島』は、それほど優れた作品ではない。たしかに同じ安彦良和による初代『ガンダム』の語り直し(『THE ORIGIN』)シリーズの中ではもっともCGを用いたモビルスーツの描写がこなれているし、物語も「よくまとまって」はいる。しかし、「それだけ」だ。僕は、ある時代を席巻したアニメーターとしての安彦良和の、そしてそれ以上にマンガ家安彦良和のそれなりのファンのつもりではいるが、はっきり言ってしまえばこの『ククルス・ドアンの島』は演出家としての安彦良和の貧しさを証明した作品、として位置づけられてしまうだろう。しかしこの失敗は、安彦良和という作家について考える上で、それなりに有意義な視点を与えてくれると思う。

まず分かりやすく、しかし細かいところからはじめよう。この映画の目に付きやすい欠点は悪役の造形だ。実質的な主人公のククルス・ドアンの元部下たちが、彼の隠れ住む島を襲撃してドアン、アムロのタッグと戦闘を繰り広げるのがこの物語のクライマックスなのだが、このドアンの元部下たちがまるで『北斗の拳』のつなぎの回に出てくるチンピラのような造形で、ほとんど想像力を行使せずに作られた登場人物なのだ。言ってみればまるで首からプラカードを下げて「悪役です」と書いてあるような悪役だ。これは、残念ながら安彦良和が原作にあたる『機動戦士ガンダム』テレビ版の第15話「ククルス・ドアンの島」がどのような作品か、あまり理解していないことを証明している。いや、インタビューなどではいろいろ理論武装したものを話しているのかもしれないが、少なくとも映像になった段階では失敗している。

まず『機動戦士ガンダム』のテレビ版には結果的に前線に放り込まれた現地徴用兵の若者たちが戦争という状況をどう受け止めたのかという問題が主題として存在する。特に物語の舞台が地球に移ってからは、主人公のアムロたちが戦場で出会った人々の姿を描くことでそれを実現しようとしている。いわゆる「つなぎ」の回である「ククルス・ドアンの島」もそのうちのひとつで、ここでアムロは偶然知り合った脱走兵ドアンとの交流を経て、戦場の過酷な現実に抗う大人もちゃんといることや、戦争というものが（たとえドアンのような理知的で、平和を愛する人間さえも心の何処かで）人間を惹きつけてしまうことなどを学ぶ。つまりこれはククルス・ドアンが、戦争の大義よりも個人的な倫理を優先して、自分たちの攻撃のせいで孤児になってしまった子供たちを保護しているからこそ成立するエピソードだと言える。しかし、今回の安彦良和による映画版の改変ではドアンはジオンの司令官マ・クベの核攻撃を妨害するために島に潜伏していた、という驚愕の事実が結末近くで明かされるのだ。

おい、ちょっと待ってくれ。ククルス・ドアンは戦争に「巻き込まれた」側の人間だからこそ、ひとりの兵士の立場でこの戦争という大状況に自分なりのやり方で抗っているのではなかったのか？　そして、だからこそこのエピソードは戦争というものを通して人間を描く、というこの作品のコンセプトに対して（つなぎの回だからこその自由さを行使して）貢献していたのではなかったのか？　たとえマ・クベ（塩沢兼人へのリスペクトが全開の演技が素晴らしい）が核攻撃をしようがしまいが、いちばん大事なのは自分が守らないといけない子供たちだ、という切実さがないとククルス・ドアンを、このエピソードを取り上げる意味がないのではないか、と思うのだ。イデオロギー的な正しさと目の前の等身大の倫理は、ときに矛盾する。（大げさに言えば）これはそもそもそのような世界の残酷な真実を垣間見せるエピソードのはずだったのだ。

そして悪役の問題に戻ると、やっぱりドアンを追撃してくるジオン兵も「普通の兵士」であるほうがずっと良かったはずだ。物語を盛り上げるにしても、あんな記号的な悪役ではなくて、たとえばドアンの戦友が彼を探して島にやってきて、彼の脱走した理由を知り葛藤する……といった展開のほうが、ぐっと良かったはずだ（そして、原作のコンセプトも活かすことができたはずだ）。

しかし、こういうことを言っても仕方がないな、とは思う。なぜならば安彦良和はそもそもこういう作家……というか、いま、僕が述べたような複雑な人間観に基づいた作劇ができない、いや、おそらくは「したくない」作家だからだ。

安彦良和がアニメからマンガにその活動の軸足を移したとき、彼が最初にはじめたのは、全共闘的な「無垢なる革命」のファンタジーの中での実現だった。実際の共産主義革命はソビエト連邦から学生運動の新左翼セクトまで、実態としてはただの全体主義であったことは既に歴史的に明らかだった。だからこそ、この時期の安彦はファンタジーにそれを求めた。その理想化された革命（ごっこ）がファンタジーの力でご都合主義的に理想化されると『アリオン』になり、そして全共闘の挫折と重ね合わされて「革命には失敗したけれど、その代わりに妻と子供を守る立派な家長になる」という自己憐憫的なメンタリティ（もちろん、これは団塊世代以降の日本社会に支配的な、戦後中流の性搾取を支える精神性だ）に軟着陸すると『ナムジ』になる。安彦良和の創作の初期衝動に近いところには等身大の生と大義との「和解」（20世紀は両者が対立し、若き日の安彦が支持した共産主義イデオロギーも未曾有の大量死をもたらした)が、「無垢なる革命」への執着があるのだ。

だから、安彦良和の描く「人間」は、たとえば『ガンダム』の原作者富野由悠季のそれと比べると、その内面のレイヤーが数段少なく、かなり単純化されている。たとえば富野由悠季の描くシャアは革命家の子供として「選ばれた」存在であることの自負と、そこに対する「これでは道化だよ」といった自嘲、パイロットとして戦場を駆ける快感への逃避、しかしやっぱり表舞台に立つのが好きでたまらないところ、そしてニュータイプ思想へのねじ曲がった拘泥などがかなり複雑に絡み合っていて、富野はそれをしっかり演出しているのに対して、安彦が『THE ORIGIN』で描くシャアはかなり単純だ。それは作家としての能力差というかそもそもの人間理解の深度の差が大きいのだけれど、同じくらい安彦良和にとって、創作とはそもそも理想的な(単純化された)人間や世界を描くものであることが作用している。そしてこれが安彦良和という作家の限界であり、そして変な話だけれど僕がこの作家をなんというかいじましくて「好き」なところだ。

話を安彦良和のマンガ作品に戻す。そしてマンガという手法を自分のものにした安彦が今度はファンタジーではなく現実の歴史に、無垢なる革命の「あり得たかもしれない」可能性を求めたのが、おそらくはたいていの安彦良和の愛読者が彼の最高傑作として位置づけるだろう(僕もそう思う)『虹色のトロツキー』だ。これはいわゆる「満州もの」で、ノモンハン事件前夜の満州国が舞台の物語だ。スターリン率いるソ連に対抗するため、石原莞爾らが密かにスターリンの政敵トロツキーの満州への招聘を目論む。そして主人公の青年ウムボルトは、亡父がかつてトロツキーとつながりがあった(かもしれない)ことから、この巨大な陰謀に巻き込まれていく……というのがそのあらすじだ。ここで、主人公のウムボルトは、日本、中国、モンゴル、ソビエトなどさまざまな勢力のプレイヤーと触れ合う中で、徐々に民族自決の理想形――無垢なる革命――を夢見るようになる。しかし結局彼はノモンハン事件の中で命を落とし、物語はやや唐突に幕を閉じる。そしてメタフィクション的に安彦良和本人が登場し、かなり強引な幕引きがされるのだが、これが良い。何が良いかというと、ここにあるのは誠実な敗北宣言だからだ。このとき安彦は無垢なる革命の可能性を現実の歴史の中に求めることを通じて、そのそもそもの不毛さに突き当たったのではないかと僕は思う。当時の満州の混沌とした社会を舞台に繰り広げられる活劇の持つロマンティシズムの魅力を用いて、無垢なる革命の可能性をそこに見出すこと――それがこの作品のコンセプトだったはずだ。しかし安彦良和は、架空年代記の中で荒唐無稽な陰謀論を展開し、そこに失われた希望を見出すといった物語を描くには真面目過ぎる作家だった。歴史に真摯に向き合った結果、どう考えても続けられないと白旗を上げてしまう誠実さ。それこそが僕の考える『虹色のトロツキー』の魅力だ。

だからこそ、僕は安彦良和ほどの才能がその後20年近くこの『機動戦士ガンダム THE ORIGIN』に費やされていることを残念に思う。この作品で、安彦はまるで『アリオン』の頃のように、自分の理想とする世界をファンタジーの中で描いている。そこには、『虹色のトロツキー』前後から安彦が手がけてきた歴史との、現実との対峙の生む緊張感と、その敗北を認める誠実さは失われている。そしてその安全な箱庭の中で富野由悠季の描いた多彩で多面的な人物たちを、安彦が描ける範囲に単純化し、薄っぺらくする作業がだらだらと継続されている。

この『ククルス・ドアンの島』でもそれは変わらない。ここでは例によってアムロが、セイラが、フラウが、ブライトが、ミライが、テレビ版と比べてかなり分かりやすく「いい人」になっている（たとえばセイラは、もし富野由悠季が同じ尺でこのエピソードを演出していたら、スレッガーたちのアムロの捜索への協力要請にも、それに対し微妙な態度を取り続けるブライトにも、彼女なりの距離感を示すための皮肉をぶつけたりしていただろう）し、前述したドアンの「大義」への安直な距離感や、「悪役」たちの記号的な描写も避けられただろう。

そして、この人物造形の貧しさは、演出にも反映されている。この映画版では、登場人物の挙動がかなり「マンガっぽく」なっている。ブリッジでワンワン泣くフラウ、ヤギに顔を舐められて喜ぶキッカ、マ・クベに怒られて焦るウラガン……。もちろん、こういった演出がそれだけでダメだとは言わない。しかし、こうした演出を施すなら、それなりの意図がないといけない。この『機動戦士ガンダム』の世界は、こういう芝居が許されるものよりはかなり自然主義的なリアリズムに寄せて構築されている。富野による『機動戦士ガンダム』の演出コンセプトは、まず自然主義リアリズムでSF的な未来社会を描写する。そしてそこにときどき、アクセントとして新劇的な内面の吐露（「認めたくないものだな、自分自身の若さゆえの過ちというものを」といったセリフ）を挟む、というものだった。言い換えればそれは実写映像に比べて相対的にコントローラブルな表現であるアニメーションだからこそ可能な精密な演出で、この架空の世界とそこに生きる人間を実在しているかのように描く、というコンセプトだったはずだ。そしてスペースコロニーのスペックから、ミノフスキー粒子などのネーミングまで、こうしたコンセプトに基づいて設定されたはずだ。その世界において、こうした別のリアリズムの水準で演出を施すなら、相応の理由がないといけない（「あえて」そうすることで異化効果がある、とか……）。しかし、僕の見たところ本作にそれはない。特に、原作からその人数が何倍にも増されたドアンの保護する子供たちの描写にそれは顕著だ。あの、どこかで見た……具体的には宮崎駿の作品で見たことのあるものばかりの子供たちの描写は、泣き方は、拗ね方は、食べ方は、ヤギに翻弄されるさまは、すべてはただのコピー&ペーストで安易な模倣以上のものではない。非常に残念なことだが、安彦良和の創作とは単純化された人間（の社会）を描くものであるという態度（それが意識的なものか、無意識的なものか分からないがおそらくは後者）が、本作では単にその世界にたしかに生きている人間を演出するという力の欠如として表れてしまっている。それが、普段の安彦良和の描くマンガ作品なら、それほど気にならない。それは、この単純化された世界を提示することでしか描けないものを彼が創作の中で探っているのが分かるからだ。しかし事実上の『ガンダム』の二次創作であるこの作品では別のことが問われる。この富野的なリアリズムの世界に、宮崎的なリアリズムの人物描写をぶつけることの意味を問われる。だから、この描写にどのような効果があるのかを考える必要が演出家にはあったはずだ。しかし、おそらくはそこになにもない。あったのかもしれないが、仕上がったものには単にテンプレート的な描写の安易さを強調する効果しか発揮されていない。

物語の結末では「原作」の富野によるテレビアニメ版同様、アムロがガンダムでドアンのザクを処分する。「あなたに染み付いている戦いの匂いを消させてください（意訳）」とアムロはドアンに敬意を込めて、その理由を説明する。同じことを、僕は安彦に言いたいと思う。安彦良和ほどの作家が若い頃にかかわった、しかし究極的には他人（富野）の作品の二次創作でその才能を浪費すべきではない。ファンタジーの世界で、後出しジャンケン的に富野を超えたつもりになってドヤ顔しながらどう考えても改悪された薄っぺらい物語を披露してその人間観や社会観の淡白さを露呈すべきではない。安彦良和という作家の武器は他にあるはずで、その武器を正しく用いて描かれた作品群は宮崎駿にも、富野由悠季にも描けないもののはずだ。だからやっぱり僕は彼に言いたい。「あなたに染み付いたガンダムの匂いを消させてください」と。

23.『犬王』と「彼岸」の問題

週末に、公開されたばかりの『犬王』を見てきた。まずはあくまで僕の興味から湯浅政明という作家のこれまでについて振り返ることからはじめたい。

湯浅という作家を特徴づけるのは、男性性への拘泥と表現者としての自意識だ。そしてこの両者が「死の世界」を通じて結びついていることだ。そう、湯浅の抱える抑圧された男性性は、基本的に音楽など、彼の描く主人公たちが生み出す表現を通じて解放される。そしてこれらの表現は常に死の世界と結びついている。湯浅の描く世界において、これらの表現は異界、もっと言ってしまえばあの世をこの世に現出させる回路として度々登場する。そのため自分にとってアニメとは、表現するとはなにか、という問いが追求されない作品においては男性性の解放が前面化する。

たとえば『DEVILMAN crybaby』がそうだろう。永井豪は石ノ森章太郎のアシスタントだったわけだが、『デビルマン』の人間の身体が異形の者と合体するというモチーフや（『仮面ライダー』）神々との戦い（『サイボーグ009』）というアイデア、つまり内在的なものと超越的なもの（妖怪と神）は石ノ森から引き継いだものだ。もっと言ってしまえば、石ノ森ではバラバラに追求されていた両者のモチーフを統合したのがデビルマンなのだ。

そしてその湯浅版である、『DEVILMAN crybaby』では彼が追求してきた男性的な自意識の受け皿としてのアニメーションが、フラッシュと出会うことで進化している。それは暴力や性衝動として表現される男臭さをポップに見せるため、フラッシュのチープさを用いて生臭さを排除した快楽を提供する、というものだったと思う。その試みはある程度成功しているが、それは湯浅政明という作家の世界を広げるものではなかったと思う。

それは端的に述べれば、男性の自意識問題から離陸できていないということに尽きる。たとえば同作では石ノ森から永井豪が受け取ったはずの「人間を愛していない神」という問題が矮小化されている。原作のそれは言ってみれば多神教の国のサブカルチャーからアブラハムの宗教的な世界観へのアンサーのようなもので、地の底にうごめく魑魅魍魎と一体化して、神に抗う、というものだ。しかし、湯浅はこのテーマを自意識の問題に矮小化してしまっている。

同作の最終回ではサタン＝飛鳥了が不動明たちから受け取ったバトンを落とすというイメージが反復される。これは飛鳥了が人間を信じられない、明を好きと言えない、思いっきり走れない＝欲望を発散できないということを表現しているのだが、ここで湯浅は前述の「神」の問題を人間の自意識の問題に収斂させてしまっている。つまり、原作の『デビルマン』にあった（『サイボーグ009』から受け継いだ）「神々との戦い」という黙示録的な世界観へのアンサーはなくなってしまったのだ。この狭さが、湯浅という作家の限界でもあり、持ち味でもある。

付記するが、石ノ森章太郎から永井豪に「受け継がれなかった」最大のものは、性的なものからの解放だろう。石ノ森章太郎の描いた中性的な美少年が、後に既存の性規範からの解放をマンガという表現に求めた少女マンガ家たちに受け継がれたように、『仮面ライダー』の「変身」が性的な（男性的な）成熟ではなく、むしろ異形との融合として描かれたように、石ノ森は人間の身体に性的な成熟「ではない」進化の可能性を提示した作家でもあった。しかしその影響下にある永井豪は、徹底して男性性の追求として身体拡張を描いた（『デビルマン』／『マジンガーZ』）。その意味において、湯浅は『デビルマン』の映像化を担当するに相応しい作家なのだ。問題は永井とは異なり湯浅は男性性を表現すればするほど、それが神性から遠ざかり、人間的な自意識に収縮してしまうことだ。

あるいは『きみと、波にのれたら』についても考えてみよう。これまでの湯浅の作品とは異なり主人公が女性であり、したがって男性性の解放というテーマは後退している。物語としてはサーファーのヒロインと消防士の彼氏がいて、彼氏が海の事故で死亡してしまう。しかし、その彼氏はヒロインのことを想うあまり成仏できず、幽霊になってヒロインのもとに戻ってくる。この幽霊には出現条件があって、ヒロインが彼氏との思い出の歌を歌うと水の中に浮かんでくる。これは『夜明け告げるルーのうた』から引き継いだモチーフだ。

湯浅にとってはどこまでいってもアニメとは、表現するとはこの世には存在しないものを出現させるものなのだ。ただ本作ではこれまでとは違い、自分もあの世に接続して男性性を解放したいと欲望する、あるいは創作を通じてそれを代替する主人公が描かれる……という展開にはならない。では代わりに何があるのか。結論からいうと「なにも」ない。代わりに、サプリメント的な「泣き」の仕掛けだけがある。彼氏が彼女をいかに好きだったか、前半にちりばめられた伏線をひたすら回収して、そのたびに主題歌が盛り上がって涙腺を刺激する。

こうして考えたとき、やはり問題は男性性の死の世界による解放と、その創作による軟着陸という自意識の問題以外にこの作家が主題を持たないことのように思える。この問題はたとえば、『日本沈没2020』にも現れている。これは小松左京の古典的な名作を湯浅が設定だけ借りて、ほぼオリジナルの物語を展開したものだ。舞台は2020年代の日本、首都直下型地震から富士山の大噴火へと続く地殻変動で日本列島は沈没、ヒロインの一家が崩壊する社会の中で過酷なサバイバル生活を強いられていくのだが、僕は端的に湯浅はこの作品で最後まで描くべきものを見つけられなかったのだと思う。

原作の『日本沈没』は未曾有の大災害を設定することで、戦後日本のアイデンティティを問い直すことを主題にした作品だ。このアニメ版も、その設定と主題は共有している。しかし、全10話のうち、かなりの部分がこの設定や主題とは事実上無関係なエピソードで埋められている。避難生活の途中でヒロインの父親は戦時中の不発弾を掘り当てて爆死し、中盤にはまったく災害と関係ない新興宗教団体のエピソードが盛り込まれ、結末では避難時の怪我で片足を失ったヒロインがパラリンピアンとして大成し、登場人物のひとりがトランスジェンダーであることが明かされる。前者ふたつはただエピソードの空白を埋めるための「つなぎ」でしかなく、後者ふたつはネットフリックスのオリジナル作品にありがちなやや過剰なポリティカル・コレクトネスへの配慮、いやアピールだ。僕はこれらのエピソードが盛り込まれたことそのものが良くないとは考えない。しかし、問題はこれらのエピソードがまったく、この物語の主題に関与せず、本当にただ出てきただけ、「とってつけた」だけの要素になっていることだ。たとえば、ヒロインは冒頭から「母親に似ている」と周囲から言われることにコンプレックスを抱いており、この母娘関係が母の死を通じて変化していくことになるのだが、エピローグでヒロインがパラリンピアンとなることと、このヒロインの内面の変化をめぐる最大の要素とはほぼ完全に無関係だ。同じエピローグでとある登場人物がトランスジェンダーであることが明かされる件については、性の多様性をめぐる要素はそれまでまったく登場せず、これも非常に唐突でとりあえず放り込んでみた、という感が拭えない。

なぜこんなことになってしまったのか。物語の（問題の多い）エピローグでは、生き延びた日本人たちは在りし日の日本の映像をクラウド上に保存し映像アーカイブを共有する。そこではまさに、今日の日本のありふれた日常の姿が映されているのだが、それがものすごく貧しい。まったく豊かに（描こうとはしているのだが）描かれていない。なぜそれが魅力的ではないのかというと、それは湯浅がそこに自分の視点がなく、もっと言えば関心がなく、まるでオリンピックの２０２０年東京大会のプロモーションのような、誰も信じていない「平和で、豊かな日本」のきれいごとで固めた嘘っぱちのビジョンだからだ。

僕の考えでは、この作家はそれほど広い関心のあるタイプではない。それは長所でも短所でもなく、端的にこの作家の個性と考えればいい。しかし、問題はこの作家が長く「男性性にとらわれた自意識の死の世界への接続と、その創作（者としての自覚を持つことでの）による軟着陸」という自身の作り上げてきた物語構造を内破するものを獲得できずに、同じ地点をグルグルと回っているところにあると思う。

たとえば『映像研には手を出すな！』では、原作に準拠した前半（創作することそのものの快楽を描くことに重心がある）に対し、物語の展開上ヒロインの浅草が前半で得た技術と仲間の力を用いてどのようなものを描くのかが重要になるオリジナル色の強い後半が明らかに失速している（浅草のつくっているアニメが、原作と異なるのだが、これがまったく魅力的ではない）ことにもこの問題は露呈している。これはおそらく、原作の設定上、浅草の創作への欲望が男性性への解放と結びつくことはあり得ないことに起因している。湯浅という作家は、描きたいものが明白であるがゆえに、そこから広がりが持ちえない作家なのだ。

ここまで来れば、『犬王』の位置づけはそう難しくない。本作は脚本に野木亜紀子を迎え、少なくとも脚本の「表面上」からは湯浅の男臭さが消臭されている。そのため、本作では、（『映像研には手を出すな！』と同じように）創作することは男性性の追求の手段ではなく、表現すること自体が目的になっている。

湯浅という作家にとって、これまでもアニメーションであることの意味は、正確にはアニメーションだからこそ獲得される身体を通じて表現することの意味は、死の世界への接続として表現されてきた。純度の高い虚構としての、人間の想像の中でしか成立しない世界を映すものとしてのアニメーションへの欲望は、死の世界への接続に象徴されていた。そして死の世界という外部への接続によって抑圧された男性性が解放されるさまを描いてきた。そして、かつては男性性にとらわれた自意識の解放という目的の手段だったアニメーションの身体表現（による死の世界への接続）は、本作では男性性の解放のためではなくそれ自体が目的になっている。アニメーションの身体だからこそ開く回路で、彼岸にどこまで接近できるのか。そのためのライブ、いや儀礼がこの『犬王』という長篇アニメーションであると考えればいい。そのために、必要な道具立てが、松本大洋や大友良英といった、手垢のついた固有名詞の順列組み合わせだったのか、という疑問はなくはないが、少なくとも本作がこの作家をこれまで自身が作り上げてきた（がゆえに、強固にとらわれてきた）構造の外側に連れ出したことは間違いないだろう。

同時に、ここに新しい問題も浮上する。それはこの儀礼によって接続された彼岸の空疎さ、だ。そもそも、男性性の軟着陸先として描かれる死の世界が陳腐になってしまうのは仕方がない（それは、どうしようもなく現世の俗世間の欲望にとらわれたものだろう）のだが、本作で描かれる死の世界は、より空疎になっている。表現（作画）のレベルではともかく、物語のレベルからは大きく男性性の解放という要素は後退している。それはこの作家の描く世界を拡張するためには必要なことだったように思う。しかし問題はその後で、その男性性の後退した空白の部分に侵入してきたのが、「創作すること」への欲望しかなかったことだ。そしてこの創作への欲望は目的（男性性の解放）の後退した本作においては大きく自己目的化されている。そしてそのために、この映画は結果として創作することに、表現することにとらわれた自分たちという自意識がこれまで以上に前面化してしまっている。

自分は創作にとらわれている特別な人間である、という自意識は、せいぜいSNSのセルフブランディング程度のものであり、文化それ自体ではなく、文化的な自分が好きな人々のレベルのものでしかない。もちろん、湯浅がその次元の表現者であるはずもないのだが、この『犬王』という作品には従来の構造から逸脱した結果として、このような創作物を愛し、創作することを至上に考える自分たち——というもっともつまらない自意識に、相対的に支えられた作品になっている側面が確実に存在する。これは、90年代のサブカルチャーが自意識の問題から離陸できなかった問題とも深くつながっているのだが、僕は湯浅ほどの作家がこの種の問題に、それもキャリアのこの段階でとらわれるべきではないと思う。これからの作品で彼の卓越した技量が可能にする儀礼としてのアニメーションが、本当に彼岸を感じさせてくれることを期待したい。

24.『シン・ウルトラマン』と「動機」の問題

公開初日の夜に、『シン・ウルトラマン』を観てきた。既に賛否両論の感想が飛び交っているのだけれど、僕は「世間（僕の嫌いな言葉だ）」で共有されている論点にはそれほど関心がなく、むしろ別のいくつかのことが引っかかっている。

まず僕は前提として、この『シン・ウルトラマン』の「コンセプト」は「とりあえず」有効に機能していたと考えている。『シン・ゴジラ』の記憶が新しい観客の多くが、おそらく同作のようなSFと政治劇とを組み合わせ、双方を補完する作劇を期待したはずだ。たとえば、戦後70余年、在日米軍は大戦期に飛来した宇宙人（ウルトラマン）の死体（本当は休眠しているだけ）を監視するために沖縄に駐留し続けてきた……といった設定を用いて（かなり物議を醸しそうだが）『シン・ゴジラ』と同じコンセプトの『シン・ウルトラマン』をつくることもできたはずだ。

仮にそうすれば、『シン・ゴジラ』の抱えていた弱点（平成の30年の政治改革の失敗と、東日本大震災とそれに伴う福島第一原子力発電所の事故のつくりあげた日本の政治的な文脈を知らないとほとんど比喩関係が分からないドメスティックさ）も抱え込んでしまうリスクはあったが、少なくとも「期待を裏切らない」作品にすることが可能だったはずだ。しかし、庵野秀明たちはそれを選ばなかった。予算やスケジュールの問題もあったのだろうが、『シン・ゴジラ』のセルフ劣化コピーを生み、低いハードルを無難に跳ぶ選択をしなかった。

この映画は単純に評価すれば、『シン・ゴジラ』の手法の表面的なエッセンスのみをマイルドに応用しながら、限られた予算の中でウェルメイドな作品を仕上げたもの、とまとめることができるだろう。この選択を僕は批判したいとは思わない。むしろ、少なくない制約の中で、水準を遥かに超えるものを仕上げたことを評価したいと思う。しかしこの映画がどこか、それもかなり肝心なところで「足りていない」こともまた間違いない。

僕のようなやや古い特撮映画のファンは、CGの用い方に不満がある人も多いと思うが、ここでの論点はそこではない。『シン・ゴジラ』ではミニチュア特撮の美学と質感を再現するために用いられていたCGが『シン・ウルトラマン』ではヌルヌルと動き、単にCG然として用いられていたことに不満を覚えたのは僕だけではないと思うのだけれど、ここではそういったことはひとまず横においておこう。「ゴジラ」シリーズなどの東宝特撮映画の怪獣とは異なり、どこか愛嬌のある怪獣たちの体現していたもの――そのひとつは、若い世代が戦後という時代に見出してきた両義性の表現だったはずだ――が、ほとんど省みられていいないことも引っかかったが、それも横に置いておこう。それでもやっぱりさすがにゼットンのあのデザインはないのではないかとか、最終決戦がもう少しアクションとして盛り上がらないと物足りないとか、そういった細かい不満もたくさんあるのだけれど、僕がここで論じたいのは、この映画がひとりの宇宙人（外星人）が、地球人（人間）を理解する物語として提示されていたことだ。

ウルトラシリーズの長い歴史の中で、このテーマが扱われてこなかったと言えば語弊がある。実際に結末近くに登場する「そんなに人間が好きになったのか、ウルトラマン」という問いかけは、１９６６年放映の初代『ウルトラマン』の最終回のものだ。しかし、この初代『ウルトラマン』は、この遠い宇宙から来訪した宇宙人の内面を描くことを重視していなかった。それは、同作におけるウルトラマンという存在は、「神」に近い超越した存在として「基本的には」描かれていたからだ。そのため、ときおり見せる人間らしい内面をうかがわせる挙動が、意外な親しみやすさとして子供たちの心を摑んでいた。そして１９６７年放映開始の『ウルトラセブン』では、逆に主人公の宇宙人ウルトラセブン＝モロボシ・ダンというひとりの人間の内面に大きくフォーカスが当たった。彼は自らの圧倒的な力が地球と他星との軍事バランスに与える影響や、地球人類への加担に対する倫理的な問題に直面し続けていた。しかしそのモロボシ・ダンの内面は視聴者の内面と共振する等身大の若者のそれであり、人間とはまったく異なる身体と認知を持つはずの宇宙人の内面をシミュレーションするというSF的なコンセプトからは戦略的に距離を置いたものだった。

そしてこの『シン・ウルトラマン』は、ウルトラマンというひとりの宇宙人が地球人類に触れ、理解を試み、そして共闘する過程に重心を置いた。これがこの映画の作劇面での最大の特徴だ。だからこそ、物語は怪獣よりもウルトラマン以外の宇宙人との抗争を中心に描かれることになったのだ。『シン・ゴジラ』がもし現代日本に怪獣が本当に出現したら、というシミュレーションだったとするのなら、この『シン・ウルトラマン』は宇宙人たちのネットワークに地球が捕捉され、次々とコンタクトを取ったらどうなるか、という(『三体』シリーズの影響下にあるように思われる)シミュレーションを(『シン・ゴジラ』よりはかなりリアリティを落とし、ファンタジーに寄せているが)展開したものだと考えればいい。

そして、問題はこの物語においてウルトラマンが理解した「人間」の内実が、ほとんど描かれていないことだ。自らを犠牲に子供を助けること、仲間を信じること、といった人間の美点の描写がウルトラマンが地球人類に加担する理由として描かれるのだが、これが質的にも量的にもほとんど説得力がない。質的に言えばそれはほとんど形式的なテンプレートで、オリジナリティもなければ描写の工夫やユニークな視点もない。ただ「利他」や「友情」をアピールするまるでWEBのフリー素材のような描写が貼り付けられているだけだ。もちろんこのようなテンプレート的な描写でも、それを繰り広げる人物たちが魅力的であれば、長い時間をかけて描写を積み重ねることで作中で直接描かれたこと以上のことを視聴者に想像させることができる。しかし、全26話のテレビシリーズならともかくこの2時間弱の映画の、それも禍特対のメンバーを描くパートの限られた時間ではそれは難しい。

そして、この問題は明らかにこの映画の最大のコンセプトにかかわっている。つまり、この映画には超越者でもなければ、人間でもなく、劇中のウルトラマンの言葉を借りればその中間の存在（人間に融合してしまった宇宙人）の視点だからこそ見えるもの――この場合はファジーな立場だからこそ見える人間の美点――が説得力を伴って描かれることが必要だ。しかし、それがあと3歩から5歩くらい足りていない。そのせいでこの映画はこの種の大作邦画の水準を大きく超えながらも、最後の最後の最後で悪い意味での微温的な、邦画らしい「学芸会感」をゼロにできていない。

『雪国』で旅人である語り手、つまり外部の人間だからこそ見えるそこに暮らす女性たちの情念の描写が肝であるように、『アラビアのロレンス』でロレンスが見せられた砂漠の圧倒的な人間を寄せ付けない世界の激しさと残酷な美しさの描写が肝であるように、この映画は質的にも量的にも、ウルトラマンという宇宙人が好きになった「人間」を描いていなければいけなかった。しかし、足りていない。描かれていなくはないのだけど、足りていない。この映画では、既に広く共有されているテンプレート的な描写だけでそれを済ませてしまっては、まったく足りないのだ。それは彼（ウルトラマン）が見ている世界は、僕たちのそれとは違うからだ。劇中で彼（ウルトラマン）は述べる。自分は宇宙人と地球人が融合した中間の存在だ、と。したがって彼に見えている世界は、僕たちに見えているものと、半分は同じで、半分は異なっている。そして、その異生物から見た世界を想像力で具現化するのがSFの、あるいは特撮の役割なのではないか、と僕は思う。僕はウルトラマンという中間的な存在から見た世界を、人間の意外な側面をもっと見たかった。それは世界のすべてが少年の自意識の比喩として描かれていた『エヴァンゲリオン』と、すべてが戦後史（平成史）の総括的な比喩として描かれていた『シン・ゴジラ』の中間のもの、小さなものと大きなものの中間の、両者をつなぐ視点になり得るものでもあるからだ。それがあれば、この映画は『シン・ゴジラ』とは違った意味で、エポックな作品になり得たかもしれないのだ（画のチープさだけは、どうしようもないが……）。

以上が、見終わって12時間後の雑感だ。

「そんなに人間が好きになったのか、ウルトラマン」とゾーフィは問いかける。だからこそ、僕たちはその「人間」の内実を問いたい。庵野秀明の人間に対する肯定への意思自体を、僕は好ましく思う。しかしその肯定すべき人間の内実が、いまのところほとんど描かれていないことを残念に思う。別にそれが、手垢のついた利他の精神や友情であっても、それはそれで一向に構わない。しかし、それが人間とは異なる圧倒的な身体能力と科学力を持った存在の目から見たときに、どう映ったのか。それを曲がりなりにも描写しない限り、この主題は表現されたとは言えないのではないか。作中で反復されるほとんどテンプレート的な禍特対のチームメンバーとの友情関係の描写が、それに値するというのはさすがに厳しいだろう。

　興行成績によっては、続篇の可能性も十分にあるはずだ。ならば次こそはその本作では、実質的に「好き」と言っている「だけ」だった人間の内実を、不器用でも構わないのでしっかりと描いてほしいと思う。

25.『タコピーの原罪』と「人生」の問題

先日、座談会でタイザン5の『タコピーの原罪』について議論した。[*]そして、後半はどちらかと言えば『少年ジャンプ＋』という媒体が、藤本タツキの『ルックバック』以降、良くも悪くもSNS上のユーザー同士の相互評価のゲームへの対応が巧みになっていることをどう評価するか、ということに話題が移行していったのだけど、今回はその前半のこの作品それ自体の評価について接続したことを考えてみたい。

そして僕のこの『タコピーの原罪』についての感想を一言でいうと、「『人生』にしか興味のないことはつまらない」ということだ。

『タコピーの原罪』の元ネタは（ヒロインの「しずかちゃん」という名前が示すように）藤

＊ PLANETS YouTube チャンネル「批評座談会〈タコピーの原罪〉」(https://www.youtube.com/watch?v=Hyh1qeNB3BE)

子・F・不二雄の『ドラえもん』だ。もし、ドラえもんの出すひみつ道具が、のび太くんの人生に悪影響を及ぼし続けたらどうなるか、をシミュレーションしたのがこの『タコピーの原罪』だと言えるだろう。「毒親」のネグレクトを受け、学校でも激しいいじめをうけるしずかちゃんのもとに、ドラえもんのひみつ道具のようなアイテムを持つ宇宙人タコピーが現れ彼女のために奮闘する。しかしその介入はことごとく裏目に出て、その結果タコピーとしずかちゃん、そしてその仲間の少年はジャイアンのポジションに当たるいじめっ子のまりなちゃんを撲殺してしまい、のっぴきならない状況に追い込まれる。そこでタコピーのひみつ道具を用いて、この状況そのものに時間をさかのぼりリセットがかけられるわけなのだが、その結果としてまりなちゃんもまたいわゆる「毒親」から虐待を受けていたことが判明する。物語はその後しずか、まりなの両方をどう救済するのかが争点になっていくのだが、ここまでの展開で明らかなことがひとつある。この作者は（少なくともこの物語においては）「人生」にしか興味がないということだ。

今でこそ、半ば作品の実態から離れたイメージに基づいた神聖視が定着しているが、本来の『ドラえもん』はそれなりに「俗悪な」ギャグマンガだった。そしてだからこそ偉大だった。のび太という怠惰で、ワガママで、そして欲望の強い少年がいる。彼が「あんなことといいな、できたらいいな」と夢を語る。たいていの場合はドラえもんに泣きつく。ドラえもんは仕方ないなとボヤきながらひみつ道具を出す。のび太は思う存分その欲望を満たす。しかし調子に乗ってやり過ぎてしっぺ返しを食らう。そして次回まったく反省せず、同じようなことを繰り返す。のび太は「成長しない」。だからこそ、ドラえもんは次から次へと道具を出すことができる。そして読者の夢を、想像力を刺激するのだ。

80年代に発表されたエピソードにこのようなものがある。それは「おこのみボックス」というひみつ道具が活躍するエピソードだ。その道具は一見、ただの四角い箱だ。しかしマイクに向かって「レコードプレイヤーになれ」というとレコードを再生し、「カメラになれ」というと写真を撮ることができる。これは、どう考えても今日におけるスマートフォンだ。藤子・F・不二雄の想像力はあのジョブズのそれを20年以上先取りしていたのだ。そして、このような想像力の豊かさを育んでいたのは、のび太が「成長しない」からだった。成長せず、毎回同じように欲望を、夢を追求していたからだ。ドラえもんが、のび太の人生を改善するという使命を半ば忘れ、彼の欲望に応え続けていたからだ。僕たちはあのドラえもんの、半永久的に反復されていたのび太の欲望と、ひみつ道具によるその実現に想像力を刺激され、夢を見ていたはずだ。

しかし、のび太の人生に焦点が当たった瞬間にその夢はしぼんでしまう。あんなことといいな、できたらいいいなという想像力の冒険は終わってしまう。それを分かりやすく示したのが、映画『STAND BY ME ドラえもん』だろう。この映画では、のび太の「成長」に焦点を当てたエピソードが展開する。原作にたまに出現するのび太の成長物語を主に抽出し、ひとりの少年の成長物語として『ドラえもん』を再構成したこの映画は当時大ヒットした。しかしこの映画にはいま僕が述べたような、人間がその欲望を想像力で叶えていく魅力はほとんど存在しない。ドラえもんが出すひみつ道具で、のび太たちが少年時代を楽しむ描写はイメージ映像的にわずかに挿入されるだけで、その尺のほとんどがのび太の内面的な成長に割かれている。

たしかに原作にもそういったエピソードはいくつか存在する。しかし、そういう少年の内面的な成長物語を読みたいのなら、小学校の道徳の時間に教材に使われるような説教臭い児童文学の本の類でも開いていればいい。しかし、『ドラえもん』を『ドラえもん』たらしめていたのは、たとえどれほど心温まるエピソードが展開し、のび太が「成長」したとしても、その次のエピソードではすべてが「なかったかのように」リセットされ、のび太はまた弱く怠惰な少年に戻り、ドラえもんに泣きついてその欲望を叶えていったところにあったのではないか。だからこそ想像力の冒険は成立したのではないか。

すっかり『ドラえもん』の話になってしまった。しかしここにこそ『タコピーの原罪』のつまらなさの本質がある。この作者は、少なくともこの物語においては「人生」にしか関心がない。だからタコピーのひみつ道具は彼女たちの人生の改善にしか用いられない。しかし、皮肉な話だが、人生にしか関心がない奴らの人生はつまらないのだ。

しずかちゃんもまりなちゃんも、宇宙人がやってきて、彼の圧倒的な科学力で作られた道具を前にしても、人生の改善にしか興味がない。子供なんてそんなもんだ、のび太と違って彼女たちは虐待されていたのだから、と考えるのはあなたがつまらない大人である証拠だ。

実際に辛い現実を前にしているからこそ、子供たちは目の前にあるものを手にして、「あんなことといいな、できたらいいな」と想像力を膨らませる。嘘だと思うのなら、1933年生まれの藤子・F・不二雄がどのような少年時代を過ごしたかを調べてみるといい。彼がのび太やしずかちゃんやまりなちゃんと同じ年のころ、彼の暮らしていた国がどのような状態にあったのかを。

あるいはしずかちゃんやまりなちゃんよりも過酷な状況下に置かれていたと思われる『赤毛のアン』の物語がはじまる前のアン・シャーリーがタコピーと出会っていたら、どうしただろうか。おそらく彼女はまず、自分の名前をコーデリアというロマンチックな名前に改名するところからはじめたと思われる。しかししずかちゃんもまりなちゃんも、タコピーの力を人生を改善するためにしか使わないのだ。まるで、想像力の枯れた大人たちのように。

毒親から戦争まで、過酷な現実にぶつかったとき、人間はその人生を改善しようとする一方で、想像力の世界に逃げようとも考える。そして、後者の力もまた、世界を豊かにする。『タコピーの原罪』を読み通したとき僕が最初に退屈さを覚えたのは、中盤に登場する兄弟の葛藤を描いたエピソードの凡庸さだ。まるでそのテンプレートに沿って記述したような空疎さは、それほど長いエピソードでもないのに退屈を感じるのに十分だった。毒親に悩む少女2人が強いシスターフッドを結ぶという物語の着地点も、流行への追従以上の意味はないように僕には思えた。実際にこれらのエピソードはタコピーがいなくても成立するものだ。シンジ君がエヴァに乗りたくないとゴネたり、やっぱり乗りますと張り切ったりする物語は、少年が秘密兵器の操縦を託されるという異常な事態だからこそ生まれる展開として成立しているけれど、この作品の兄弟の葛藤劇や毒親に対するシスターフッドでの対抗は、タコピーの存在（ひみつ道具とタイムリープ）がなくても成立するし、タコピーの介入によってその展開を効果的に見せられる状況が設定されているわけでもない。そして、とても皮肉な話だけれど、このつまらなさ――物語のコンセプト（タコピー）と展開（少年少女の物語）の乖離――の原因はこの作者が「人生」にしか興味がないことにある。

そしてもっと皮肉な話だけれど、人生にしか興味のない人の人生ほどつまらないものはない。久しぶりに昔の仕事仲間に会ったとき、いま僕が儲かっているかとか、社会的な地位が上がっているかとか、そんなことばかり尋ねてきて、僕が書いているものや編集しているメディアについてまったく興味を持っていないなと感じたことがあった。そして僕は基本、そういう人とはもうこちらから連絡を取らなくなる。

もちろん、「人生」のことだけを追求した結果、素晴らしい想像力の冒険を達成した作品はいくらでもある。しかしそういった作品は表面的な成功や失敗に重心は置かないし、親子かブラザー／シスターフッドかのような単純な図式で物事を解決した気になって済ませたりもしない。しかし、残念ながらこの作品はそうじゃない。この作品は「人生」に興味が縛られた結果として、どこかで目にしたことのある兄弟の愛憎物語の劣化コピーと、流行を安易に取り入れたシスターフッドのアピールしか描けなかった。しかし、せっかく思いついたタコピーという存在やひみつ道具を活かした物語展開がもっとあれば、この作品はもっともっと広がっていけたのではないかと思うのだ（実際に、第1話がいちばんワクワクして、尻すぼみにつまらなくなったと感じた人も多いはずだ）。

ただ、今日においては創作物をツイッターで「みんな」が同時に話題にして、同時に褒めて、自分たちは同じ感性を持った仲間だと確認する快楽を獲得するために用いることに疑問を持たない人は少なくない（むしろ主流なのかもしれない）と思うので、そういった人たちのためのサプリメントとしては、これは最適の内容だったのかもしれない。ジェットコースタードラマ的な急展開をこれでもかというほど見せるが、そこで描かれている人間や社会の描写は図式的で、分かりやすくて、そして中身がない。これは「シェア」する素材としてはかなり優れた作品だ。ただ、僕には退屈だった。だからこそ、この作品で起きたことをしっかり言葉にしておくことは、やはり必要だと考えたのだ。

目の前に過酷な現実とひみつ道具があったとき、それを用いて過酷な現実を解消しようとすることは「正しい」。しかし、それだけでは世界は豊かにならない。ときにまったく状況の改善にも、人間的な成長にも寄与しない（それはもしかしたら、間違っているのかもしれない）「逃避」が、「あんなことといいな、できたらいいな」と考える欲望の追求こそが、想像力の冒険を可能にする。創作物に触れることの豊かさを、「みんな」で同じ神輿を担ぐことだと考えている人には、伝わらないかもしれない。しかし創作物にはもっと豊かな可能性があり、それを求めている人に対して、僕はこの文章を書いている。

26.『カムカムエヴリバディ』と「戦後」の問題

一昨日4月8日、朝の連続テレビ小説（朝ドラ）『カムカムエヴリバディ』が最終回を迎えた。僕はこの朝ドラを毎朝楽しみに観ていて、先月、所用で岡山に行ったときは朝に早起きしてスケジュールの合間を縫って稔さんと安子が自転車に乗る練習をしたあの土手に足を運んできた（そして新幹線に乗り遅れた）。それくらい夢中で観ていたので、このテレビドラマについては語りたいことがたくさんある。

稔さんが特急で先回りして岡山駅で安子を待ち伏せていたシーンとか、ジョーがるいをブティックの試着室に連れ込み後の多目的トイレの多目的利用文化につながる行為に及ぶシーンとか、2代目モモケンが虚無さんと和解するシーンとか、文ちゃんが「寂しいだろ、バカ」とひなたにデレるシーンとか、クリスマスの算太のラストダンスとか、終戦記念日に稔さんと平川先生の幽霊が現れるシーンとか、好きなシーンは枚挙にいとまがない。安子編終盤の若者の性の乱れとか、るい編冒頭のキャッチボールのシーンでの登場人物の作中の設定年齢と演じる役者の実年齢のギャップとか、風間俊介演じる片桐の使い捨てとか、中盤までのジョーがヒモに開き直っている感じとか、ほぼ『ちびまる子ちゃん』と化していたあの週とか、『サムライ・ベースボール』がまったく面白くなさそうなところとか、クライマックスの安子＝アニーとひなたの追いかけっこがロケ地になった岡山市街の地図を見る限り少なくとも5キロメートル以上に及んでいるとか、突っ込みたいところもたくさんある。

しかし、その上でここでは、少し別のことを書きたいと思っている。それはこの『カムカム』という作品が、舞台となった戦後という時代をどう描いたか、そしてその中で、脚本を担当した藤本有紀がかつて『ちりとてちん』の中で展開し、そして消化しきれなかった主題をどう発展的に描いたか、ということだ。

この物語は前半の安子編、中盤のるい編、そして後半のひなた編に分かれていて、母娘三代それぞれの青春期を主に描いている。初代ヒロインの安子は、大恋愛の末に結ばれた夫・稔を戦争で失い、残された娘のるいと戦後の混乱期をなんとか生きようとする。この安子編のあらすじが昭和期を舞台にした「朝ドラ」のある種のパターンに則ったものであることは議論の余地はないだろう。戦争で家族を失ったヒロインが、焼け野原から幼い子を連れて強く生きようとするシーンを、僕たちは既に何度目にしたか分からない。しかし『カムカム』がこれらの作品群と異なるのは、ヒロインが戦後を生きることに失敗し、娘にも拒絶されてアメリカに逃亡することだ。『カムカム』は朝ドラのひとつのテンプレートと言える「昭和の女の一代記」であることを拒絶するところからはじまるのだ。そして、以降はこの安子とるいの和解が物語全体の主題になる。

安子は娘と決裂し、彼女を捨てて渡米することではじめて自己実現を果たす。アニー・ヒラカワという別の存在に生まれ変わることに成功する。そして安子に導かれて、孫のひなたもまた「母」にならずにアメリカに渡る。ここには「母」である限り、従来の「朝ドラ」(この作品で描かれている通り、「朝ドラ」とは戦後日本の精神性の体現者だ)の重力から逃れない限り、戦後日本の精神性を肯定する限り、女性は自己実現を手にすることができないというシビアな認識がある。

「母」であることを放棄して、戦後日本=朝ドラの外部であるハリウッドで自己実現を果たした安子に対してるいは一見、物語の終盤まで徹底して戦後日本=朝ドラの内部に留まっている。戦後の混乱で実母と生き別れた少女が、戦災孤児の男性と結ばれて貧しいが幸福な家庭を築く――るいの物語の前半は、安子の物語と同じようにある時期までの「朝ドラ」の雛形とイデオロギーを踏襲している。そのイデオロギーとは、敗戦の傷から出発したこの国の戦後を、結果としての冷戦下の平和と経済成長をもって肯定することだ。そして安子とは異なり、るいはその物語を全うしていく。母と生き別れた傷を抱えるるいの目的は、かつての安子がそうであったように家族を回復することだ。るいと決裂後の安子が結果的に選んだように海の向こうで社会的な自己実現を勝ち取ろうなどとは微塵も考えていない。そして高度成長からバブル景気へと続く時代の与えた環境は、るいの経営する回転焼き屋の商品の値段をいつの間にか10倍にして彼女の回復を保証していく。るいは「戦後」の「朝ドラ」的な幸福によりその傷から回復したヒロインなのだ。『カムカム』において、「朝ドラ」は戦後そのものの象徴として描かれることを考えると、安子とるいの断絶は戦後という長過ぎた時代の精神性そのものへの相容れない2つの評価のもたらした断絶でもあると言える。

では、安子の物語（戦後的なものの否定）とるいの物語（戦後的なものの肯定）との和解は、どのようにして成し遂げられたのか。

ここで鍵となるのが、安子とるいをつなぐ3人目のヒロイン・ひなたの存在だ。そしてこのひなたの物語こそが、藤本有紀の「朝ドラ」という文化に対する1つの回答なのだ。安子の物語が「朝ドラ」的なものの否定からはじまったことは既に述べたが、これは驚くべきことではない。藤本有紀はかつて『ちりとてちん』で同じように「朝ドラ」の自己否定から物語を立ち上げた作家だからだ。『ちりとてちん』が放送された2007年、「朝ドラ」はちょっとした暗黒期にあった。特に2004年から2005年にかけての『天花』『わかば』『ファイト』の三作のつまらなさは黒い三連星のジェットストリームアタックのように視聴者を苦しめた。これらの作品では「明るく優しい、しかし恋にはちょっと奥手。

そして地元のおじいちゃんおばあちゃんと彼らのコミットする伝統芸能が大好き」なヒロインが「世間から後ろ指をさされないような無難な夢を持ち、都会に出る」が「結局は幸せな結婚をして地元に戻る」といったご都合主義この上ない物語が展開し、その現代劇に最低限必要なリアリティのなさと、地方自治体が税金の無駄遣いに鈍感であることを証明するためだけに発行している観光パンフレットの類のように無内容な描写で多くの視聴者を自ら遠ざけていった。

少し真面目に解説すると、要するにこれは男女平等の建前のもと、女性はもっと自由に自己実現するべきという建前としての男女平等と田舎に戻って老人介護と子育てに勤しむ良妻賢母になれという本音としての女性差別を両方満たそうとした結果の破綻だ。このような無茶な要求を同時に満たすために、ヒロインの言動はまったく説得力がなくなり、あらゆる物語展開と人物描写はどんどん薄っぺらくなっていったのだ。そしてとても残念なことだけれど、ここには日本のジェンダー後進性が端的に表れている。

『ちりとてちん』はこのような「朝ドラ」現代劇のフォーマットに反旗を翻した作品だった。まずヒロインの喜代美は「B子」と呼ばれている。それは同じ学校の同学年に同姓同名の、そして明るく、優しく、誰からも好かれる「まるで朝ドラのヒロイン」のような女子がいたからだ。なので彼女が「A子」であり、そしてヒロインが「B子」なのだ。「B子」であるヒロインは（まるで「ひなた」のように）凡庸で、根気がない「ダメな子」だ。そんな彼女は専業主婦の母親に未来の自分の姿を見て「おかあちゃんみたいになりたくない」と言って大阪に家出する。そしてそこで上方落語の世界に出会う。「なにもない」ヒロインがなんらかの「芸事」に出会い成長するというのが、実は藤本有紀の描くドラマの定番だ。そしてヒロインは女落語家として活躍するが物語の結末で出産を機会に引退してしまう。そしてヒロインは「私はおかあちゃんみたいになりたい」と述べて、母娘は和解する。

当時、この結末には賛否が分かれた。僕もヒロインには落語家を続けてほしかったと思った。しかしここでヒロインが専業主婦になることを拒否してしまうと、母娘の和解は果たせなくなる。近代日本的な専業主婦の、社会的な自己実現を求めない人生を肯定するために、一度社会に出た娘が築き上げたものを捨てて家庭に入らないといけなくなる。このジレンマに『ちりとてちん』は陥ってしまったのだ。そして、僕は思う。『カムカムエヴリバディ』という母娘三代の物語は、このジレンマを克服することを主題の1つにしていたはずなのだ。

ひなたは喜代美（B子）の生まれ変わりだ。何をやっても続かない、「ダメな子」が芸事（時代劇）に魅せられ、そこに没入することで結果的に自己実現を果たす。しかし喜代美はその自己実現を母になり、母と和解するために手放してしまったのだが、ひなたは手放さなかった。手放さないどころか、そもそもひなたはその母るいと対立することがなく、さらにそこで得た力で母と母の母（るいと安子）の和解まで導いてしまったのだ。ひなたは、喜代美の完全な進化形なのだ。

では喜代美が得ていなくて、そしてひなたが得ていたものは何か。この母娘の和解と、自己実現との両立はどのようにして可能になったのか。ひなたはどのようにして、喜代美をアップデートしたのか。母を否定せずに、その呪いから解放するためになにが必要だったのか。芸事を見つけて、それに没入するだけでは難しいことは、喜代美が既に証明している。では何が必要だったのか。

それはこの物語の中で大きな役割を果たす「英語講座」が象徴するものだ。「朝ドラ」は戦後日本の自画像を肯定する役割を負わされている番組だ。しかし同じ戦後日本を体現する長寿番組だが「英語講座」は違う。これはその外部に開かれた回路として、作中で扱われ続けている。「英語の勉強。これからも続けてください。きっとあなたをどこか、思いもよらない場所まで連れていってくれますよ」――かつてロバート・ローズウッドが安子に告げたこの言葉が示すように、この物語において「英語」は「母」になる／であることから解放されて、自己実現を果たすことを象徴している。「朝ドラ」の時間よりも少し早く起きて、「英語講座」を聞くこと、戦後日本の自画像を肯定する（がゆえに閉じた）物語＝「朝ドラ」から離脱する回路が、この物語には必要だったのだ。そしてひなたに「英語講座」を勧めたのは、むしろ「朝ドラ」的な「母」としての人生を生き、それを肯定するるいなのだ。

普通に考えればるいは戦後日本的な「母」として、喜代美の母がそうしたようにひなたに呪いをかける存在になっていてもおかしくなかった。「私が諦めたのだから、あなたも諦めなさい」という呪いをかける存在になってもまったくおかしくなかった。しかしるいはひなたに「呪い」をかけなかった。それどころか、ひなたに英語講座を勧め、戦後日本＝朝ドラの外部に誘導するのはるいなのだ。この母娘の関係は終始良好なものとして描かれる。そもそもひなたには母をロールモデルとしてとらえる描写がまったくない。それはるいがひなたに自分の人生をまったく仮託していないからだ。

るいがひなたに呪いをかけなかったのは、自分の人生を呪っていないからだ。そもそもるいは、おそらくその生涯で一度も社会的な自己実現を欲望していない。母（安子）に捨てられた傷を抱えて成長したるいの目的は一貫して家族の回復であり、喜代美やひなたのような社会的な自己実現は視界にも入っていない。それどころか恋人時代に後に夫となるジョーの挫折をそばで見てきたことで、るいは自己実現への欲望こそがもう1つの呪いであることも知っている。だからるいは、社会的な自己実現ができなかった自分の人生を呪う動機がないのだ。

そしておそらくるいは、安子を完全に許さなかったのではなかったはずだ。少なくともその気持ちはジョーと出会い、自分の家族を持つ中で徐々に解除されていったはずだ。だからこそ、彼女は自分が母になった後「朝ドラ」よりも早く起きて「英語講座」を聴くことができたのだ。

物語のターニング・ポイントとなるのは１９９４年の（50回目の）終戦の日だ。そこで、るいは戦死した父・稔の、そしてひなたはかつて戦後の混乱期に安子とるいが聴いていたラジオ英語講座を担当していた平川唯一（その前年の１９９３年に没している）の亡霊に遭遇する。そしてるいはアメリカにいるはずの安子を探すことを、そしてひなたは毎朝るいと一緒にラジオの英語講座を聴いて本気で英会話を身につけることを決意する。

るいの生きた戦後日本とは歴史を戦略的に忘却し、海の向こうの戦争に、ここが戦線の後方に過ぎないことにも目をつむり、鈍感なふりをしてこの小さな幸せを保証してくれる経済成長だけを追求する時代だったと言い換えることもできるだろう。しかしるいはこの国の長過ぎた戦後という時代の中を歩きながらも、歴史の忘却に加担しなかった。ひなたが『ちびまる子ちゃん』的な夏休みを謳歌しているときでさえ、８月15日を忘れなかった。そして、るいは京都の商店街で毎日回転焼きを焼きながらも、外の世界と接続され続けていた。「英語講座」がそれだ。おそらくるいは安子を徐々に許しはじめたころ、再び英語講座を聞きはじめた。その結果として、稔と平川先生、２人の亡霊が１９９４年の岡山に現れて、るいとひなたの母娘を安子のいるアメリカに誘うのだ。

喜代美からひなたへ。このアップデートに必要だったのは、まず「母」を否定しないために自らも「母」となるべきであるという呪いからの解放だった。それは言い換えれば、「朝ドラ」の重力からの解放だ。

ひなたは「母」になることを拒否する（文ちゃんからの東京への誘いを断る）。そして「侍」として生きることを選ぶ。日々鍛錬を続け、その日に備える。その力で、安子とるいの母娘の和解が実現する。そして物語の結末でひなたはやむにやまれずそうした安子とは異なり、自らの意思で戦後日本＝朝ドラの重力から自由になり、その外部で自己実現を果たす。祖母の安子と同じ道を歩み、ハリウッドのキャスティングディレクターとして大成する。物語の結末で60歳を迎えるひなたは独身で、「母」になっていない。朝ドラのヒロインが（60歳まで描かれながら）「母」になることを免れ、仕事に自己実現を見出しているというのはとても異例のことだ（それくらい「朝ドラ」は保守的な社会のニーズに応えた番組なのだ）。

ひなたが羽ばたくためには、この国の、この世界の外側に接続する力が必要だったのだ。「朝ドラ」は戦後日本の自画像を肯定するという社会的な使命から逃れられない。しかし、「英語講座」は違う。戦前から続くそれは、むしろ内向きになりがちなこの国の中で、外の世界に開かれ続けている希少な回路だ。ひなたには「朝ドラ」の放送時間よりも、1時間か

2時間ほど早く起きて、朝のラジオ英語講座を聴くことが必要だったのだ。

そしてそのためには、るいが自分を呪わない人生を獲得する必要があった。夢を失ったジョーの人生をその隣で肯定することで、社会的な自己実現を果たさなければいけないという呪いから自由になる必要があった。加えて歴史を忘却（したふりを）せよという戦後の重力に、心のどこかで抗っている必要があった。そして、その重力の及ばない世界に朝のラジオ英語講座を通じて接続されている必要があった。喜代美の陥ったジレンマを克服し、ひなたがひなたの道を歩むためには、まずはその母が解放される条件を見つけなければならなかったのだ。そのためには母が、夢を追え、社会的自己実現をせよという呪いから自由になっているとが必要だったのだ。朝ドラ＝戦後日本の「外部」に接続し夢を追うことと、夢という呪いから自由になることをどちらも肯定することの豊かさを、母が知っている必要があったのだ。ジョーがトランペットを失い、「ひなたの道」を見失いかけた意味はおそらくここにある。暗闇でしか、見えぬものがある。暗闇でしか、聞こえぬ歌があるのだ。

27.『ドライブ・マイ・カー』と「性愛」の問題

一昨日に僕が新しく立ち上げた雑誌『モノノメ』の2号目が刷り上がってきた。ここから、クラウドファンディングや先行予約分から順次発送していくことになる。いつも、この瞬間には大きな達成感があるが、何か審判を受けるような緊張感もある。僕はこの号は、しっかりと創刊号の反省を生かしてその分クオリティを引き上げることをやり切った、とても手応えのある号だったのだけど、それが読者にどう評価されるかはまだ分からない。

この号の制作にあたって、僕はある記事についてこれはかなり深いところまでたどり着けたのではないかという手応えと、決定的な敗北感を同時に得ている。それは友人の佐渡島庸平の仲介で実現した『ドライブ・マイ・カー』の濱口竜介監督との対談だ。ここで僕と濱口監督は、劇映画の今日の（情報環境における）表現の課題、ショット主義の限界とその応用、演技の文体と声の作用など、たくさんのことを議論している。初対面と思えないほど充実した議論が交わされていて、我ながら「してやったり」と思ったのだが、屈辱的なことにこの今号一押しの記事は僕の企画ではなく、佐渡島庸平の持ち込みなのだ（ありがとう、サデイ）。

さて、ここでは濱口監督との対話でも取り上げた村上春樹の問題について簡単に論じてみたいと思う。僕は1年前から村上春樹について「も扱う」著作（『砂漠と異人たち』）を準備中で、そこで僕が考えていたことに濱口監督の村上春樹に対するアプローチは大きな参考になると感じたからだ。同書の村上春樹論は昨年既に書き上げているのだが、この対話で濱口監督と議論したことを反映させ、結論部に少し書き足そうかと思っている。

準備中の村上春樹論では、いくつかの視点を複合させながら論じているのだが、ここでとりわけ扱いたいのはそのセクシュアリティの問題だ。村上春樹の小説はその女性描写からフェミニズム的な視点から強い批判を受け続けていた。僕が11年前に出版した『リトル・ピープルの時代』での村上批判も、これらの批判を援用している。村上春樹の小説に登場する女性たちは、（全共闘的な経験のトラウマから）「やれやれ」と社会に対してデタッチメントする男性主人公が再び（オウム真理教的な現代における悪に対抗するために）社会にコミットするための回路やチケットとしての役割を与えられている。そこで、彼女たちが男性主人公に与える力は、彼を男性として承認することで与えられる。妻や恋人から、あるいは娘から男性として、父として承認されること。これがイデオロギーを用いたコミットメントを拒否し、一度は社会からデタッチメントした村上春樹が再びコミットメントを回復するための条件なのだ。ここに村上春樹の女性蔑視を発見するのは容易いが、同時にこの男性性への執着に僕は村上の想像力の限界を見る。妻を、娘を所有して男として、父として承認を得ることで成立するナルシシズムがあってはじめて、イデオロギーからも資本主義からも「自立」することができるのだというその思考に、端的に述べれば安易さを感じるのだ。それは自分を無条件に承認する母性を要求し続ける幼児性の追求でしかなく、彼の「コミットメント」の内実も自分を絶対に否定しない存在に甘えた「ごっこ」に過ぎないというのが僕の判断だ。

以前、僕は同世代の作家が自身の引きこもり体験に取材した小説を書いたとき（滝本竜彦『ＮＨＫにようこそ！』）、これを批判したことがある。この小説の主人公が世界に意味などない、生きる意味が見出せない、確実に意味のあることがしたい、しかしそれが分からないと考えて引きこもり、そして自分より弱い少女（心の病を抱えている孤独な少女）が目の前に現れることで生きる意味（彼女を救う）を見つけるのは、彼がそもそも「自分より弱い少女を救うこと（所有すること）」を至高の価値と考えるような、安っぽい父権願望を抜け出せない貧しい想像力のために世界がつまらなく見えているからだ。

こうして考えてみると、戦後日本人男性に支配的な「矮小な父性」を村上は体現する存在なのだとつくづく思う。

さて、その村上だが近年その「矮小な父性」の延命に縛られた世界観が、(成功しているとは言い難いが) 内破されつつあるというのが僕の診断だ。それは言い換えれば、村上春樹が今求めているのは「直子」なのか、「鼠」なのかという問題だ (これについては濱口監督とも話したことだ)。

「直子」とは『ノルウェイの森』のヒロインで『風の歌を聴け』から『羊をめぐる冒険』までの初期三部作にもその存在が示唆されている。彼女の自殺は60年代の末の「政治の季節」の終わりと重ね合わされていて、主人公の「僕」はその喪失の中を生きている。そして「鼠」はこの初期三部作に登場する「僕」の親友で、現代社会 (70年代以降の社会) をうまく生きられない存在として描かれる。具体的に述べると彼は革命の夢が破れた時代にうまく適応できない。「鼠」は「僕」のようにイデオロギーからデタッチメントし、消費社会には埋没しない程度にそれを中距離から愉しむといったことが、おそらくは倫理的であろうとするためにできないのだ。つまり「鼠」は「僕」のもう1つのあり得たかもしれない存在のかたちなのだ。

そして、90年代以降の村上春樹の作品は――これは厳密な表現ではないので、詳細は『リトル・ピープルの時代』、そして『砂漠と異人たち』を参照してほしいのだけど――大まかにはこの「直子」の喪失を埋め得る女性が主人公に力を与え、主人公はイデオロギーとは異なる方法で社会(歴史)にコミットすることになる。これが村上春樹が当時掲げていた「デタッチメントから、コミットメントへ」というコンセプトだ。『ねじまき鳥クロニクル』の「壁抜け」が代表するこの「新しいコミットメント」には、さまざまな思想的な安易さがある(性搾取的な構造とか、本当にそれで今日のフェイクニュースや陰謀論の常態化に対抗できるのか、とか)のだけど、この議論も別の機会に譲ろう。ここで、問題にしたいのは、長く「直子」の回復を、正確には「直子」的なものの喪失を「緑」的な新しい女性の所有で埋めることによる「コミットメント」の根拠の回復を試みていた近年の村上春樹が、少し違うアプローチをはじめたのではないかということだ。

それは端的に述べれば「鼠」の回復を村上春樹は考えはじめているのではないかということだ。『ドライブ・マイ・カー』の原作の短篇小説が収録されている『女のいない男たち』は少し変わった短篇集だ。そこに載せられている短篇では「シェエラザード」を除きすべて、主人公が男友達と親しくなりはじめるがうまくいかないという物語が展開する。それまで、主人公をエンパワーメントするのは都合よく出現し、身体を差し出す女性ばかりだったのだけれど、この短篇集では男性の友人が主人公に新しい気づきや、内面の変化を与えそうになる。しかし、結局その男友達は主人公が自ら遠ざけてしまったり、死んでしまったりする。そう、この短篇集は僕に言わせれば「男のいない男たち」なのだ(ちなみに、僕はこの短篇集が出てすぐに、雑誌の対談[*]でこのことを指摘している）。

これはどういうことか。村上春樹は、女性を所有して男性性を強化し、そしてそのタフさを用いてコミットメントを回復するという構造を長く採用してきた。この強化された男性性がないと、彼は「やみくろ」や「リトル・ピープル」のような新しい悪——消費社会のもたらす人間疎外と、その不安が生み出す悪——に取り込まれてしまうのだ。女性所有による男性ナルシシズムがないと自我を保てないあたり、僕には別の卑しさに取り込まれてしまっているようにしか見えないのだけど、そこはまた、別の場所で論じよう。

しかし村上春樹は、ここに来て他の可能性を模索しはじめているのではないか、と僕は感じたのだ。それが「鼠」的な男友達の回復だ。正確にはそれは回復ではなく、アップデートだ。「鼠」が主人公が選ばなかった生き方を選んだもうひとりの自分であるのに対して、『ドライブ・マイ・カー』の高槻をはじめとするこの連作短篇に出てくる男たちは、明らかに主人公の内面にはない要素をもたらす他者として描かれている。しかし残念ながら、この短篇集に登場する「鼠」の生まれ変わりたちは主人公を新しい世界に導く前に消えてしまう。そして現時点（2022年）での最新長篇『騎士団長殺し』では再び主人公の「あり得たか

＊宇野常寛・森田真功「村上春樹『女のいない男たち』から読み解く、現代日本文学が抱える困難」（初出：『サイゾー』二〇一四年八月号）

もしれない、もう1つの（ただしネガティブな）可能性」としての「男友達」である免色が登場することになる。

そして、濱口監督の『ドライブ・マイ・カー』だ。僕はこの映画のことを初めて知ったとき、高槻のような男性の他者をめぐる物語になるのではないかと予感した。しかし、それは誤りだった。鍵になるのは、みさきという少女だ。これは監督とあの日話していて気がついたのだが、みさきは村上春樹の世界における特異点だ。「ぶすい」と形容される（村上春樹のこういうところが……と思わせる表現だが）みさきは、村上春樹の小説に重要な役として登場する女性でありながら、全身性器のような男性主人公のセックスの対象にならないのだ。濱口監督はここに注目したという。女性であり、父娘ほど年齢の離れたみさきは主人公（家福）のもうひとりの自分としては機能しない。つまり、彼女は「直子」（所有すべき母＝妻＝娘）でも、「鼠」（オルターエゴ）にもなり得ないのだ。そしてドライバーであるみさきは、家福の拡張身体である自動車の運転を任されることで（ハックすることで）その、彼の固着した（村上春樹的男性性に基づいた）ナルシシズムを解体していく（女性の運転を嫌悪していた家福の態度を、その技術で軟化させる）。そしてこの女性の運転に身を任せナルシシズムを解体されることが、家福の妻の死をめぐる傷を癒やしていく。自分の身体の延長が優しく奪われていく感覚を、ロードムービーの行程としてこの映画は観客に提示するのだ。

この濱口のアプローチに僕は村上春樹が乗り上げた暗礁からの脱出の手がかりのようなものを感じる。村上春樹は、現代人が「直子」を取り戻し、所有し直すことではもはや救われないことを予感している。その足りないものを「鼠」と出会い直すことで、埋め合わせようとしているのだけれど、ナルシシズムが邪魔をしてそれができない。このナルシシズムを、濱口はみさきという特異点に、その男性的な身体の一部を心地よく、そして非性的に奪わせることで（ドライブさせることで）解体した。物語の終わりに、再び役者として舞台に立った家福の回復のビジョンを、甘ったるいと鼻で笑うことは簡単だ。しかし、僕はこの舞台上の『ワーニャ伯父さん』のワーニャを演じる家福の弱く、父になれない、しかし開かれた身体を好ましく思う。ワーニャも、家福も「父」になることを求め、そして失敗した男性だがこのときの舞台上のワーニャ＝家福はむしろそれゆえに、解放され、多言語の象徴する外部に開かれている。そしてその弱く、開かれた身体こそが人間を救済し得るというビジョンは、少なくとも村上春樹の陥った自意識の牢獄から抜け出す道ではあるはずだ。

28.『スーパーカブ』と「中距離の豊かさ」の問題

トネ・コーケンのライトノベル『スーパーカブ』が4月発売の8巻で完結するという。これは、「親もない、友達もいない、趣味もない」地方都市に暮らすヒロインの女子高生（小熊）が、通学用に原チャリ（スーパーカブ）を購入したことをきっかけにその生活や人間関係を広げ、成長していく……という物語だ。僕はテレビアニメ版をきっかけに、この原作に興味を持ち、いろいろ思うところはあるもののそれなりに続きを楽しみにしていた。

その『スーパーカブ』が完結すると知ったとき、僕は最初ひどく驚いた。なぜならば、このシリーズは第6巻でヒロインが高校を卒業し、7巻からは都内の大学に進学した彼女の新生活を描く大学篇がはじまったばかりだったからだ。小熊の大学生活はまだはじまったばかり……。『タッチ』で言えば達也が和也の遺志をついで野球部に入部したばかり（孝太郎と仲良くなりはじめたあたり）、『カムカムエヴリバディ』で言えば安子がるいに「I hate you」と告げ、2人が絶縁。安子がロバートとアメリカに渡り、それから10年……。18歳になったるいが大阪に出て竹村クリーニング店で働きはじめてジョーに出会ったところで最終回になるようなものだ。分かりづらい例えをしてしまったけれど、要するにこれから第二部の新展開と言ったところで、急に終わってしまったのだ。

そして僕は連載媒体（カクヨム）で、最終8巻にあたる内容を通読して、納得した。たしかに、これは終わるべくして終わるのだ、と。端的に言えば、僕はこの小説はそのコンセプトが設定された時点で、これ以上は展開できない運命にあったと思うのだ。

『スーパーカブ』でヒロインの小熊は、原チャリを得ることで行動範囲が広がり、ツーリングとオートバイのカスタムという趣味を得て、そしてはじめて友達ができていく。高校生活だけでは知り合うことのできない大人の人間関係も構築していき、社会化される。アルバイトも経験し、雑誌の取材も受け、事故に巻き込まれて交渉事を覚えていく。小熊の生活はそれまでとは比べ物にならないくらい、色鮮やかで豊かなものになっていく。このちょっとしたモノとの出会いで世界がみるみる拡張していく体験を詳細に描いているところが、この小説の白眉だろう。

そして、小熊は都内の大学に進学し、新生活をはじめる。ひとり暮らしの部屋を、自分好みにリノベーションし、「節約研究会」という少し変わったサークルに勧誘され、そこで老獪な先輩や、同じカブ乗りの同級生と親しくなる。当初この『スーパーカブ』の大学篇は、これまでと同じように、オートバイという趣味を通してヒロインの世界が広がっていく過程を描く想定だったはずだ。しかし、7巻を読んだ多くの読者が感じたことだろうが、これがあまり「転がらない」。第1巻では高校時代のヒロインが、原チャリを手に入れ少し遠くのスーパーに行けるようになったときの感動がみずみずしく描かれているのだが、7巻にはそうした描写がほとんど成立していないのだ。いや、前述したようにヒロインの世界はたしかに広がっている。にもかかわらず、それが魅力的に描けていないのだ。その理由は明白だ。それは大学生にとっては、そこまで特別なことではないのだ。ひとり暮らしの部屋を自分好みにすることも、サークルで少し変わった先輩に出会うことも、もちろんその人の人生にとっては大きなことなのだろう。しかし、高校生がスーパーカブを手に入れたことで一気に手が（足が）届く世界が広がったときのようなインパクトはない。

それは、大学生にとっては「当たり前のこと」であり、そしてこの作品のテーマである「オートバイ」がなくても成立するものなのだ。

要するに、原チャリ（スーパーカブ）が広げてくれる行動範囲は、高校生にとっては決定的だけれど、大学生にとってはそうでもないのだ。高校生篇の最終6巻では、ヒロインのバイク仲間のクラスメート3人が卒業旅行に出かけ、そして別れを惜しんで抱き合って、泣く。卒業後はヒロインは町田、1人の友達は二子玉川に引っ越す。もう1人の友達は世界を放浪するが、八王子の実家が拠点になる。あれ？　意外と近くないか？　と思ったのは僕だけじゃないはずだ。設定では彼女たちの高校は山梨県北杜市にあるはずで、ヒロインたちは原チャリ通学していたくらいなのだから家の距離的には以前とあまり変わらないのでは……とすら思った。

しかし、それでも泣いちゃうのが高校生だ、と言われればそうだろうし、別に僕もそこを突っ込みたいとは思わない。そうじゃなくて、僕はこの高校を卒業し大学に進学する一連の過程が、この小説の行き詰まりを象徴しているということが言いたいのだ。要するに原チャリ＝スーパーカブが広げてくれる程度の世界では、高校生には決定的でも、大学生には物足りないのだ。実際に小熊が東京の都心の文化に触れようと思ったとき、その交通手段はどう考えても電車になるだろう。

8巻の、つまり物語全体の結末は小熊の19歳のバースデーだ。サークルの先輩のはからいで、これまでの登場人物が一堂に会する。そこで小熊は自分の少女期が終わったことを自覚する。彼女はその少し前に、バイク便ライダーのアルバイトを本格化することを決意する。彼女のアルバイト先は、鉄道輸送とバイク便輸送を結合した半ばＩＴベンチャーのような配送業者で、その仕事にはオートバイを運転することのロマンは微塵もない。しかし小熊は「大人になって」そのつまらない仕事を、社会の歯車のような仕事をすることを受け入れる。以降、オートバイは彼女をどれだけ遠くにその身体を運んでも、精神を解き放つものにはならないだろう。

しかし、僕は思う。小熊にとってスーパーカブというのは、その程度のものなんだろうか。彼女は進学時に安価な女子寮をオートバイ禁止を理由に選ばずに、費用のかさむひとり暮らしを選んだ。彼女にとってカブは、人生を歪めるに値するものだったのだ。だから僕は、彼女には（そして作者には）社会の歯車になることを選んでほしくなかった。たしかに、もはやこれまでと同じ構造では物語をつくれないのかもしれない。原チャリの行動範囲は、この東京という街には狭過ぎる。しかし、カブの魅力はそれだけなんだろうか。遠くまで、簡単に行けることだけなのだろうか。たとえば原チャリを町田から八王子、二子玉川までの「狭い」範囲をとことん掘り下げるための武器としてとらえ直すことで物語を作れなかったのだろうか。むしろ社会の歯車から逸脱し、世界を楽しむための道具として位置づけ直すことはできないだろうか。

『スーパーカブ』のアニメが放送中に、僕はこのようなことを書いた。*


これは、40歳以下の人にはもしかしたら世代的にピンと来ないことかもしれないけれどかつて、オートバイや自動車は今よりもずっと「男らしさ」のようなものと密接に結びついていた。物語の中でも、90年代の半ば辺りまではオートバイや自動車は身体の拡張、もっと言えば男子の成長願望の受け皿として——片岡義男の『スローなブギにしてくれ』からしげの秀一の『バリバリ伝説』まで——登場していた。成長願望の受け皿として機械の、大きな、そして速く走ることのできる身体としてのオートバイ／自動車を主人公は欲望して、物語はそうした少年がどう大人社会に認められ、そして「守るべき女子」を「所有」するかが争点になっていく。そして僕はこの手の物語が子供の頃から苦手で、オートバイや自動車が出てくるものだけではなく、男の子が女の子を守って大活躍といった展開も押し付けがましくて嫌だなあ、と感じてきた。この志向は大人になってから批評を書くときにとても重要な手がかりになっていたのだけど、僕が『スーパーカブ』に惹かれたのは、少なくとも最初の2話はこうしたイデオロギーから自由であるように「見えた」からだった。

『スーパーカブ』では主人公の世界を広げる道具としてのオートバイに焦点があたっている。彼女は「強く大きな」身体も必要としていないし、「速く」走ることにもこだわっていない。彼女が拡張したいのは身体ではなく世界の側だ。ここには、20世紀の男子たちが見落としていた「乗り物」の本来の可能性が見直されているように僕には思えた

＊『水曜日は働かない』八五ページ〜八六ページ。

のだ。

僕は小熊には、大人になってほしくないと思う。少なくとも社会の歯車になることを誇りに思うような大人にはならないでほしいと思う。オートバイという1人の力でどこにでも行ける可能性を秘めたものは、確実にそのための武器になるポテンシャルを秘めているはずだ。電車では行きづらいところとか、自動車は停めづらい場所にも、カブなら行ける。その可能性を、遠くまで足を伸ばすのではなく、中距離の場所に深く潜ることの豊かさを、もし再開することがあれば僕はこの小説に求めたいと思う。

29.『スパイダーマン：ノー・ウェイ・ホーム』と「更生」の問題

僕はＭＣＵ（マーベル・シネマティック・ユニバース）を認めるか否か、という議論にはあまり興味がない（スコセッシやコッポラの批判については、2年前に書いた本（『遅いインターネット』）で言及した）。先日も、国内のアニメシーンに深くかかわる友人から「ＭＣＵとか誰が見ているか分からない」と言われたが、それは日本のエンターテインメントがガラパゴスに発展し過ぎているせいで、もちろんＭＣＵは世界中の人が見ている。そしてだから良いわけでも、悪いわけでもない。僕は日本の大衆文化がガラパゴス的な状況にあることを頭から否定しない（世界にある表現は多様なほうがよいと考える）し、「洋楽シーンとＭＣＵをチェックしないと欧米のイケてる文化の最前線に乗り遅れる」といった具合に流行の先端を追いかけて他人にマウントを取るのが文化だと思っている人たちは、単に文化ではなく文化が好きな自分が好きなだけの感性の貧しい人だと思う。しかし、だからと言って国内の深夜のテレビ放送&インターネット配信のマニア向けアニメを中心とした世界に居直って、その世界を基準によりにもよってＭＣＵを「閉じたもの」として批判するのはさすがに見えている世界が狭過ぎるだろう。

さて、前置きが長くなったが『スパイダーマン：ノー・ウェイ・ホーム』の話をしよう。

もちろん、僕はこの映画のエンターテインメントとしての完成度にそれほど不満があるわけではない。いくつか失敗点はあると思うし、他の選択肢があったのではないかと感じるところもあるが、そこについては既に支配的な世評にそれほど異論はない。マルチバースという設定を用いて、過去の「スパイダーマン」シリーズを取り込むという「超展開」をそれほど破綻なくやってのけた手腕はさすがだとしか言いようがない。

ただ、僕がどうしても、そして決定的に引っかかってしまった描写が1つある。それは、悪人を「治療する」という発想のことだ。

この映画に登場する悪役たちは、何らかの疾病や障害をその心身に抱えている。そして彼らが悪に手を染めるのは、それらの疾病や障害のためである。そのため、スパイダーマンは彼らを「正常」な状態に「治療」する。たとえば「脳の障害」を取り除くことによって。僕はこの展開に唖然とした。なぜならば、この映画を支配する世界には「医学的に正常な身体」というものがあり、その正常で健康な身体には悪の心は宿らないという発想は、ほとんどナチスのそれだからだ。ナチスの「健康」志向が、思想・良心の自由や愚行権を顧みることなく拡大し、やがて差別的な五体満足主義に結びつき、ホロコーストにおける障害者の虐殺にエスカレートしていったのは有名な話だ。ナチスは第二次世界大戦を経て滅んだが、ナチス的な五体満足主義と、健康な身体と精神とを直結させる思想の遺伝子は戦後の一時期に流行したロボトミー手術の例を挙げるまでもなくしぶとく生き残り、今日の社会においてもときおり顔を出している。この『スパイダーマン：ノー・ウェイ・ホーム』における悪役の「治療」という発想も、僕にはその1つに思える。この映画に登場する悪人は全員が「治療」の結果、健康な身体を取り戻すことで「改心」する。少なくともこの映画には、複数の正義の衝突という概念は存在しないし、思想的な確信犯も存在できない。正義と悪は予めはっきりとその境界線が存在し、それを疑う余地はないのだ。

マルチバースという複雑な設定を取り込み、異なる作品間を越境したこの映画だが、そこで描かれている人間理解や社会理解は残念ながら非常に淡白だ。そこには前作『スパイダーマン：ファー・フロム・ホーム』に見られた優れた自己批評は存在しない（同作の悪役ミステリオの、コンピューターで合成された偽の映像を駆使して人々を扇動するという情報テロにスパイダーマンが対抗するという物語は、MCUという特撮ヒーローシリーズに対する自己批評に他ならない）。そして、たとえば同じMCUのテレビドラマシリーズとして放送された『ファルコン&ウィンター・ソルジャー』で描かれた、アメリカ国内格差と新しい冷戦が複雑に絡み合う「トランプ以降のアメリカ」のアイデンティティの模索の中で選ばれた、綱渡りのような態度表明（最終回に2代目キャプテン・アメリカを継承したファルコンの演説）に至る試行錯誤も、この映画にはない。もちろん、1本の映画にあらゆるものを求めるのもお門違いだ。そもそもMCUの強みは、異なるコンセプトの作品が連携することによって総合性を獲得することだ。かいつまんで述べれば『アイアンマン』シリーズは現代アメリカの「私」、特に男性性のゆらぎが主題であり、そして『キャプテン・アメリカ』シリーズは世界の警察としてのアイデンティティを喪失したアメリカの「公」の再構築を主題にしていた。しかしこの映画にとって、悪役を「治療する」というモチーフは映画の中核を担うアイデアだったはずで、現代における正義の問題は他のシリーズで追求しているので、ここでは問わない、とはなかなか考えられない。

この『スパイダーマン：ノー・ウェイ・ホーム』はピーターの少年期の「終わり」を主題にしている。他の多くのアメコミ・ヒーローがそうしているように、本作のスパイダーマンもまた「不殺」のポリシーを掲げることになり、それはピーターの成長の証として提示される。つまり悪役を殺すことなく（ここまでは特に珍しくはない）、「治療する」という選択をしたことは、この映画の中で主人公の成長という主題と直結している要素なのだ。そして、それがナチスの遺伝子を孕む人間（健康）観であったとき、僕はさすがに不用意ではないかと感じざるを得なかったのだ。そして、ついでに述べればこの映画を絶賛する人々のほとんどが（この映画は内外に渡って、ほぼ絶賛されているようだが）この点を問題にしていないことに、僕は違和感を持ち続けている（動画番組で本作を取り上げた際に、コメント欄で幾人かの映画ライターが指摘していたらしいことを教えてもらった）。繰り返すが、今日においてエンターテインメントの批評とは、SNS上の共感獲得のゲームと化している。おそらく、こうした声を時間と場所を間違えて（いや、正しく？）投稿すると、たちまち誹謗中傷が押し寄せるだろう。そして、このような情報環境下の社会のモードと、悪人を「治療」してしまえばよいと考えるこの映画の人間観はきれいに一致してしまう。

マルチバースによって「あり得たかもしれない人生」の可能性に開かれていたとしても、いや、開かれているからこそ、人間は「そう生きるしかなかった」呪いに直面する。そして世界に無数に存在する正義同士が、どうしても相容れなくなる瞬間も世界に確実に存在する。だからこそ、ヒーローという選ばれた、そして正義の暴力を宿命づけられた存在の物語の射程距離はとてつもなく長い。しかし、この映画は与えられた材料を生かすことなく、表面的な「正しさ」を優先してそれを自ら放棄してしまった。僕にはこのことが、とても残念だ。

ボーナストラック　古畑任三郎の最高傑作はなぜSMAPとの対決篇なのか

今日は、昨年亡くなった田村正和さんについて書きたいと思います。結果的に彼の代表作となったものに三谷幸喜脚本の『古畑任三郎』シリーズがあります。田村正和が古畑を演じはじめたとき、彼がそのカッコよさを逆手に取った三枚目を演じることが既に定着していました。歌舞伎役者の息子、いわゆる「田村三兄弟」のひとりであり、エスタブリッシュな雰囲気を漂わせる二枚目俳優として若くして知られる一方で、彼はその強烈な個性を決して器用に扱えるタイプではなく「何をやっても同じ演技」と批判されてもいました。

そんな田村正和が活路を見出したのが、テレビドラマでの「二枚目俳優が三枚目を演じる」という路線でした（『パパはニュースキャスター』など）。ここで田村は「自分で思っているほどはカッコいいわけではない二枚目が、そのナルシストぶりをいじられる」という役を選ぶことで、これまで以上のポピュラリティを獲得することに成功したと言えます。

要するに田村正和という存在はイケメンを（愛を込めて）笑いたいという大衆の欲望に応えることで、お茶の間の人気を得た俳優だったわけです。そしてその後に彼の代表作となった『古畑任三郎』は三谷幸喜によってこの「残念なイケメン」像がもうひとひねり加えられたものだったと言えます。

「残念なイケメン」として登場する古畑（田村）が、実は「すごい」という価値転倒がこの作品の快楽の本質で、それはつまり三谷幸喜がもはやイケメンとは残念がられることで愛されるものとして定着していることを喝破していたことを示しています。だから三谷はもうひとひねりして彼を「あえて」「じつは」カッコいいところもある人物として描いたわけです。『古畑任三郎』の元ネタは『刑事コロンボ』です。ピーター・フォーク演じるコロンボは決してイケメンではない。そう、彼は「残念なイケメン」ですらなくただの「残念な」人です。そしてイタリア系のぱっとしない刑事がエスタブリッシュとして描かれることの多い犯人を追い詰めるところに、あのドラマの快楽は成立していたわけです。そして和製コロンボの決定版に三谷幸喜が挑んだとき、彼は「残念なイケメン」としていじり愛されることを選んだエスタブリッシュ俳優を、もうひとひねりして「カッコよく」見せた。

古畑のカッコよさはもちろん、田村正和が本来背負っていたものとはかけ離れています。むしろそれが破壊されつくしたからこそ成立しているものです。「コロンボから（バブル期のテレビドラマでの三枚目役田村正和を経て）古畑任三郎へ」。つまり「一見イケてないオヤジが実はすごい」から「一見カッコいい親父が実はずっこけている」へ、そして「そんな残念なイケメンが実はすごい」へ。ここには戦後日本の男性的な「カッコよさ」の変遷がよく表れていると僕は考えています。

そんな僕の考える『古畑任三郎』のベストマッチはスペシャル版のSMAPとの対決篇です。これはタイトル通り、SMAP（設定は少しいじってあります）の5人が殺人を犯し、古畑がそのトリックを暴くという内容なのですが、これは要するにある種の「イケメン論」として読めます。SMAPとは戦後日本のイケメン像を変えた存在です。これからのイケメンとはカッコいいだけではダメで、人格者で、笑いが取れて、文化的で、そしてひとりひとりが自立していないといけない。SMAPはこうした変化の象徴でした。

そのSMAPと「残念なイケメン」としていじり愛されることで生き延びてきた田村正和のキャラクターをもうひとひねりして「カッコいい」ものとして再提示した存在である古畑任三郎が対決する。これは現代的なイケメンと、現代的な振る舞いをすることで生き延びてきた昔のイケメンとの対決でもあったわけです。

普通に考えたら、この対決はSMAPのほうが強い。しかし古畑は互角以上に戦っています。それが可能だったのはこの古畑任三郎というドラマには「大物俳優を犯人役にして、彼／彼女を活かす」というコンセプトがあったからです。倒叙形式のミステリーであるこのドラマでは犯人を視聴者に隠す必要がないので、大物俳優のキャスティングが可能でした（ミステリーは配役で犯人がバレるために、特に連続ドラマでは各回ゲストに大物俳優を出しづらい)。つまり、大物俳優を「立たせる」物語を描きやすいところに強みがあった。それに加えて、「いじり愛される残念なイケメン」を装う古畑のキャラクターは、この犯人＝大物俳優を「立たせる」上でも非常に有効に機能しました。というか、そこに三谷幸喜のすごさがあったのだと僕は思います。

「いじり愛される残念なイケメン(を装っているが実は本当にカッコいいイケメン)」である古畑というキャラクターによって、次々と登場する大物ゲストたちは確実に「接待」されていました(第一話からして中森明菜の「不幸」なキャラクターへの批評になっていた)。そしてさらにその「接待」の中で彼ら彼女らの個性を引き出す批評的な描写が、非常に効果的に行なわれていました。古畑の犯人に投げる嫌味な牽制球の数々は、同時に三谷幸喜による犯人役の俳優の魅力的なリアクションを引き出すための釣り餌でもあったわけです。

そして本作においてSMAPは完全に「接待」されている。古畑との対決で、5人それぞれの個性が確実に、かつ批評的に引き出されている。それでいて、最後はやっぱりこうした「接待」を完璧にこなすことで、古畑任三郎は自分のカッコよさを提示してみせることに成功しています。その結果としてこれは古畑任三郎こそが本当にカッコいい、そう思わせてくれる作品になっている。本作は田村正和というややいびつなかたちで生き延びた昭和のイケメンの、平成のイケメン（の基準を造った5人）に対する逆襲の物語なのだと僕は思います。

それが、僕が本作こそがシリーズの中でも最高傑作であると考える理由なのです。

それでは、今日も1日よろしくお願いします。古畑任三郎でした。

17.『初恋の悪魔』と「謎解き」の問題：2022 年 10 月 5 日
(https://note.com/wakusei2nduno/n/n64f66fd6db6f)
18.『トップガン マーヴェリック』と「さまよえる男性性」の問題：2022 年 9 月 6 日
(https://note.com/wakusei2nduno/n/n0c5255e498bb)
19.『G のレコンギスタ』と「老成」の問題：2022 年 8 月 9 日
(https://note.com/wakusei2nduno/n/na3e282ef24b3)
20.『SPY × FAMILY』と「家族」（と少年性）の問題：2022 年 7 月 24 日
(https://note.com/wakusei2nduno/n/n0c02a24d6408)
21.『ゴールデンカムイ』と「生き残ってしまった新選組」の問題：2022 年 6 月 19 日
(https://note.com/wakusei2nduno/n/n67e9dc712a5b)
22.『機動戦士ガンダム ククルス・ドアンの島』と「イデオロギー」の問題：2022 年 6 月 7 日
(https://note.com/wakusei2nduno/n/n4a014549eb2c)
23.『犬王』と「彼岸」の問題：2022 年 5 月 30 日
(https://note.com/wakusei2nduno/n/n283ad7785f32)
24.『シン・ウルトラマン』と「動機」の問題：2022 年 5 月 14 日
(https://note.com/wakusei2nduno/n/nbe253e3e67c5)
25.『タコピーの原罪』と「人生」の問題：2022 年 4 月 17 日
(https://note.com/wakusei2nduno/n/n18b2563bc83f)
26.『カムカムエヴリバディ』と「戦後」の問題：2022 年 4 月 10 日
(https://note.com/wakusei2nduno/n/nf6b6e96b1a69)
27.『ドライブ・マイ・カー』と「性愛」の問題：2022 年 3 月 17 日
(https://note.com/wakusei2nduno/n/n987972f7bbc6)
28.『スーパーカブ』と「中距離の豊かさ」の問題：2022 年 3 月 8 日
(https://note.com/wakusei2nduno/n/n539a9d17376f)
29.『スパイダーマン：ノー・ウェイ・ホーム』と「更生」の問題：2022 年 2 月 25 日
(https://note.com/wakusei2nduno/n/n01d1fba5c436)
ボーナストラック　古畑任三郎の最高傑作はなぜ SMAP との対決篇なのか：2022 年 1 月 29 日
(https://note.com/wakusei2nduno/n/n7a9efe6c4441)

初出一覧

序にかえて　「虚構の敗北」について：書き下ろし

本書について：書き下ろし

1.『街とその不確かな壁』と「老い」の問題：2023年4月15日
(https://note.com/wakusei2nduno/n/n1a69f2661aa7)

2.『怪物』と「幸福」の問題：2023年6月6日
(https://note.com/wakusei2nduno/n/n9bc690c13af2)

3.『ブラッシュアップライフ』と「平凡」の問題：2023年4月8日
(https://note.com/wakusei2nduno/n/n51389eece6c3)

4.『シン・仮面ライダー』と「人間」の問題：2023年3月25日
(https://note.com/wakusei2nduno/n/n1c3078aad21c)

5.『暴太郎戦隊ドンブラザーズ』と「天才」の問題：2023年3月6日
(https://note.com/wakusei2nduno/n/nce9e5c84bd9a)

6.『グリッドマン ユニバース』と「怪獣」の問題：2023年4月28日
(https://note.com/wakusei2nduno/n/n8e35dfb12389)

7.『BLUE GIANT』と「体験」の問題：2023年2月27日
(https://note.com/wakusei2nduno/n/nf06df1960784)

8.『First Love 初恋』と「90年代」の問題：2023年1月27日
(https://note.com/wakusei2nduno/n/n00e4fa1c7332)

9.『機動戦士ガンダム 水星の魔女』と「箱庭」の問題：2023年1月23日
(https://note.com/wakusei2nduno/n/n157d9b8036be)

10.『THE FIRST SLAM DUNK』と「物語」の問題：2023年1月5日
(https://note.com/wakusei2nduno/n/n9efdec6cc4de)

11.『エルピス』と「正義」の問題：2022年12月27日
(https://note.com/wakusei2nduno/n/n43422b160b83)

12.『silent』と「リア充」の問題：2022年12月25日
(https://note.com/wakusei2nduno/n/na6e4fd5daf79)

13.『鎌倉殿の13人』と「悪」の問題：2022年12月19日
(https://note.com/wakusei2nduno/n/n4645362a3753)

14.『すずめの戸締まり』と「震災」の問題：2022年11月12日
(https://note.com/wakusei2nduno/n/n0dac3b2317a8)

15.『仮面ライダーBLACK SUN』と「左翼」の問題：2022年11月5日
(https://note.com/wakusei2nduno/n/n6c2067f77d10)

16.『リコリス・リコイル』と「日常系」の問題：2022年10月9日
(https://note.com/wakusei2nduno/n/n9b6d58ba1ceb)

著者略歴

1978年生まれ。評論家。批評誌「PLANETS」「モノノメ」編集長。主著に『ゼロ年代の想像力』『母性のディストピア』(早川書房刊)、『リトル・ピープルの時代』『遅いインターネット』『水曜日は働かない』『砂漠と異人たち』。

ハヤカワ新書 011

2020年代《ねんだい》の想像力《そうぞうりょく》
文化時評アーカイブス2021-23

二〇二三年八月 二十 日 初版印刷
二〇二三年八月二十五日 初版発行

著者 宇野《うの》常寛《つねひろ》
発行者 早川 浩
印刷所 中央精版印刷株式会社
製本所 中央精版印刷株式会社
発行所 株式会社 早川書房
東京都千代田区神田多町二ノ二
電話 〇三・三二五二・三一一一
振替 〇〇一六〇・三・四七七九九
https://www.hayakawa-online.co.jp

ISBN978-4-15-340011-5 C0295

「ハヤカワ新書」創刊のことば

誰しも、多かれ少なかれ好奇心と疑心を持っている。そして、その先に在る納得が行く答えを見つけようとするのも人間の常である。それには書物を繙いて確かめるのが堅実といえよう。インターネットが普及して久しいが、紙に印字された言葉の持つ深遠さは私たちの頭脳を活性して、かつ気持ちに余裕を持たせてくれる。

「ハヤカワ新書」は、切れ味鋭い執筆者が政治、経済、教育、医学、芸術、歴史をはじめとする各分野の森羅万象を的確に捉え、生きた知識をより豊かにする読み物である。

早川　浩

馴染み知らずの物語

滝沢カレン

お馴染みのあの名作が
「馴染み知らず」の物語に変身

ある朝、目が覚めたら自分がベッドになっていた――!?

カフカの『変身』やカズオ・イシグロの『わたしを離さないで』など、古今東西の名作のタイトルをヒントに滝沢カレンさんが新しい物語をつむぎます。オリジナルを知っている人も知らない人も楽しめる一冊

ハヤカワ新書
003

日本庭園をめぐる

——デジタル・アーカイヴの可能性

原 瑠璃彦

伝統×テクノロジー!
日本文化研究の新鋭による、
未踏の庭園論

光と影がうつろい、鳥がささやく。刻一刻と変化する日本庭園をアーカイヴすることは可能か——日本庭園を総合的に知覚するために。日本文化研究の新鋭が、現代のテクノロジーを駆使して日本庭園の知られざる側面を明らかにするとともに、その新たな姿を描く。

ハヤカワ新書
008